Avant-propos

*La seule chose sérieuse,
ici-bas, c'est l'humour.*
Vladimir Jankélévitch

*Les gens qui ne rient jamais
ne sont pas des gens sérieux.*
Alphonse Allais

... le rire a une profonde valeur de conception du monde, c'est une des formes capitales par lesquelles s'exprime la vérité sur le monde dans son ensemble, sur l'homme; c'est un point de vue particulier et universel sur le monde, qui perçoit ce dernier différemment, mais de manière non moins importante (sinon plus) que le sérieux; *c'est pourquoi la grande littérature (qui pose d'autre part des problèmes universels) doit l'admettre au même titre que le sérieux: seul le rire, en effet, peut accéder à certains aspects du monde extrêmement importants.*

Mikhaïl Bakhtine
L'oeuvre de François Rabelais
et la culture populaire au Moyen Âge
et sous la Renaissance

La pensée comique*

Le comique de notre vie quotidienne est une chose bien curieuse sur laquelle nombre de penseurs, rarement comiques, se sont penchés; la plupart se sont relevés avec un lumbago. On dit d'ailleurs qu'il existerait plus de quatre cents ouvrages portant sur le sujet du rire et de ses dérivés. Notre propos n'est pas de prétendre que les auteurs de ces livres ont eu tort ici ou raison là, que celui-ci était plus près du Graal que celui-là. Les formes, les causes, les modalités et l'évolution du risible sont multiples, intéressantes, changeantes, donc sujets inépuisables; nous devrons cependant nous contenter, dans cette présentation, de jeter, un peu au hasard, quelques remarques générales sur ce qu'il conviendrait d'appeler la pensée comique.

On dit volontiers qu'il y a cinq sortes de rire: le rire joyeux (le bien-être), le rire social (la bonne humeur collective), le rire de détente, le rire pathologique et le rire comique. C'est ce dernier qui nous intéresse, le rire ou sourire comique, c'est-à-dire celui qui est commandé par une matière destinée à faire rire et/ou sourire, et plus précisément le genre littéraire dit comique.

Or, il importe, lorsque l'on veut parler de littérature apparentée au comique, de bien distinguer trois choses. D'abord le rire et le sourire eux-mêmes, en tant qu'effets

---

* Afin d'éviter les répétitions et les allitérations, et plus simplement afin de nous entendre sur le sens général des termes, précisons que les mots *comique et risible* seront utilisés, ici, dans leur sens le plus élargi, c'est-à-dire comme ce qui nous fait rire et/ou sourire, dans les arts comme ailleurs, donc comme principe du rire et/ou du sourire.

produits; ensuite, ce qui les provoque, les déclenche dans notre vie quotidienne; et enfin les procédés littéraires qui font rire ou sourire les lecteurs. On pensera à l'ironie, au sarcasme, au calembour, au burlesque, à l'esprit, au ridicule, à l'humour, à la plaisanterie, au non-sens, à la caricature, à l'humour noir, au grotesque, à la contrepèterie, à la dérision, à la moquerie, à la farce, à la satire, etc., tous procédés soutenus par un ensemble de figures de style (parmi les sus-nommés se trouvent des figures devenues genres comiques) allant de la syllepse à la prétérition, en passant par l'allégorie, la métathèse, l'hyperbole, la métabole, etc. En d'autres termes, une étude attentive des nouvelles ici recueillies nous permettrait de relever des lieux marqués par la plupart de ces genres, donc de révéler les figures qui en génèrent le risible, le comique.

Car, il faut bien le dire, il y a mille manières de faire comique; et on ne le fait pas toujours de la même façon. Plus encore: dans un même texte, on retrace généralement plusieurs procédés comiques. Ainsi, le fait de commander une nouvelle à dix auteurs dans le cadre d'un collectif intitulé Dix nouvelles humoristiques laissait présager la mise en oeuvre d'une gamme considérable de procédés comiques. Eh bien, c'est cela que nous vous proposons ici: une variété de textes parfois raffinés, parfois crus, parfois sensibles ou amers, durs ou nostalgiques, ironiques ou naïfs, etc.

Comme dans le cas de précédents collectifs*, nous avons voulu que les auteurs demeurent eux-mêmes, c'est-à-dire qu'ils ne travestissent ni leur style ni leurs champs d'intérêts habituels. Ce qu'ils ont fait. Le mélange des genres et des procédés est donc l'effet des personnalités (c'est ici que l'hétérogénéité du choix des auteurs prend toute son importance) et de l'ouverture extraordinaire de la pensée comique. Ajoutons que cette diversité s'amplifie par le fait que le comique d'un texte littéraire peut apparaître soit dans ce qui est raconté, soit dans la façon de le raconter. Évidemment, toute rencontre de ces deux approches confère un plus grand

---

* *Fuites et poursuites*, nouvelles policières, 1982 (dirigé par André Major) et *Dix contes et nouvelles fantastiques*, 1983 (dirigé par André Carpentier).

registre au comique. Mais cela n'est pas si simple. Nous connaissons en effet tous des gens qui ne parviennent jamais à faire rire leur entourage, même en racontant les histoires les plus drôles, et d'autres qui vous feraient étouffer de rire en décrivant un vieux clou rouillé. Ainsi donc, le talent de faire rire n'est-il pas donné à tous.

Le comique comme valeur de conception du monde

Comme le souligne Jean Fourastié, le rire est une émotion, le risible est une pensée. Le risible est au rire ou au sourire ce que la plainte est aux pleurs. Nos propos porteront donc sur la pensée — sur le risible et sur la plainte. (Ce faisant, nous contournons les problèmes que suscitent la rencontre de certains concepts, tels que humeur/humour, bas comique/haut comique, comique/humour, etc. Bien sûr, cela est commode, car il est malaisé de distinguer comique et humour, rire et sourire, comme il n'est souvent pas facile de déceler l'intention de comique chez un auteur.)

Mais pourquoi donc, ici, parler de sourire autant que de rire, sinon plus? Sans doute, inconsciemment, pour éviter la fausse représentation. Car ce collectif ne prétend pas pousser aux grands éclats irrépressibles (contractions plus ou moins coordonnées des muscles faciaux, élargissement de la bouche et expirations saccadées et bruyantes), aux claques sur les cuisses et à la suffocation par le rire. Non. Dans les nouvelles qui vont suivre, le sérieux, pour ne pas dire le grave, côtoie le comique, alterne avec lui. Il y a d'autres projets, dans ces textes, que de faire rire. C'est d'ailleurs là le propre du comique, qui amène la joie, et non la sérénité. On se souvient de cette célèbre formule (est-elle de Boris Vian ou de Chris Marker?): l'humour est la politesse du désespoir.

Nous savons qu'une même chose peut être signifiée de plusieurs façons différentes. Ceci dit, il n'est pas inutile de rappeler que toute transformation dans la manière de dire, soit-elle infime, est automatiquement génératrice d'un sens modifié. Or, le comique est l'une de ces manières de dire, donc d'affronter la réalité. J'entends par là que le comique *nous met sur la trace du réel. G.B. Shaw disait que c'était* la meilleure façon de dire et de consentir à la vérité. *Car enfin, le comique n'est pas moins révélateur que le sérieux; il dévoile autrement un aspect profond du monde. Le comique, si on me permet cette formule, est aussi sérieux que le sérieux, avec le risible en plus.*

En somme, le comique est une manière, comme beaucoup d'autres, mais différente de ces autres, de vêtir sa pensée. Il correspondrait, dans l'ordre de l'émission, à ce que sont le rire et le sourire dans l'ordre de la réception. Comique et rire ne sont donc nullement synonymes.

Six années de travail au Pavillon de l'humour, à Terre des Hommes, m'ont appris que ce qui importe le plus dans le comique, c'est ce qui succède au rire ou au sourire; plus précisément, ce qui les prolonge. Nous pourrions appeler cela la pensée comique, *commune au rieur et à celui qui fait rire. En ce sens, le comique exige, pour avoir lieu, une double pensée comique, celle de la personne qui émet et celle de quelqu'un qui reçoit, c'est-à-dire qui comprend. Baudelaire et Pagnol avaient donc en grande partie raison de prétendre que le comique trouve sa source dans le rieur; car c'est celui-là qui devine et donne son sens au trait risible. D'ailleurs, n'est-ce pas lui aussi qui demande à être surpris, séduit par le comique?*

Je ne crois pas me tromper en disant que le comique et l'humour ne dévoilent leurs véritables sens et raison d'être que dans leur relation avec un réel dont ils contestent la crédibilité et le caractère absolu. La problématique du comique, au sens où nous avons largement défini ce mot, repose sur ce qui sépare le réel et l'idéal. Ceci paraît renforcé par cette double structure contradictoire du risible dont parle Robert Escarpit: d'abord une phase génératrice d'angoisse et de tension nerveuse, puis une autre constructive de détente et de conquête de l'équilibre.

Nous connaissons tous cet alexandrin de Boileau: Le comique ennemi des soupirs et des pleurs. *Eh bien Boileau n'avait raison qu'à moitié. Comique s'oppose bel et bien, en* un certain sens, à soupirs et à pleurs, mais en même temps il les contient. (En peinture, on pensera aux oeuvres de Bosch ou de Bruegel; au cinéma, à celles de Charlie Chaplin...) Une plaisanterie apprise, un gag tout ce qu'il y a de plus mécanique peuvent en révéler beaucoup sur celui qui en use. Parfois, la plus apparente légèreté, la plus ostensible futilité, le trait d'esprit le plus défraîchi sous-tend une haïssable ou profonde gravité. Blanchot nous l'avait déjà dit: Ce qu'il y a de plus frivole peut être le masque du sérieux. Le comique n'est jamais une forme de silence ou de renoncement; le rire et le sourire, ses réponses, non plus. En fait, ce sont même des prises de parole; Dix nouvelles humoristiques signifierait donc dix prises de parole en quête de réponses.

Si nous reconnaissons le comique littéraire, c'est que nous connaissons ses règles, ses lois, en quelque sorte ce qui le définit. Or, l'article qui domine les lois du genre comique, c'est évidemment celui qui stipule que ses textes ne peuvent donner forme au réel, c'est-à-dire faire part des valeurs de sa conception du monde, qu'en suscitant le rire ou le sourire. Lorsqu'un auteur décide d'écrire sur le mode comique, il peut le faire avec des intentions diverses, de nature sociale, psychologique, politique, etc., généralement des intentions combinées, multiples et mobiles, avouées ou inavouées. Une seule intention est donc commune à tous ces textes: celle de faire rire ou sourire, c'est-à-dire de suggérer une vision du réel par la pensée comique. C'est pourquoi nous devons accorder une grande importance à l'intention comique. Car, dans beaucoup de cas, c'est la reconnaissance ou la non-reconnaissance de cette intention qui impose les paramètres de la lecture. Tel texte ne prêtera pas au rire ou au sourire, ou très peu, parce qu'il n'aura pas été reconnu comme comique; à la limite, il pourra être perçu sur le mode tragique. (On pourrait penser que plusieurs pièces de Michel Tremblay, où comique et tragique se côtoient, pourraient être montées au profit de l'un ou l'autre de ces deux termes. De même, certaines pièces de Molière pourraient être représentées sous la forme de drame; la distance est souvent si faible entre comique et tragique!) Tel autre texte, cependant, provoquera le rire ou le sourire parce qu'il aura été perçu comme comique. Et cela parfois malgré les réticences de l'auteur; c'est dire qu'il y aura eu intention inavouée ou mal évaluée. Car certains, souvent, répugnent à l'intention comique; sans doute n'en perçoivent-ils pas la capacité à concevoir le monde? (Probablement à la suite d'une crampe héréditaire du cervelet, dirait Jean-Claude Germain. Je pense ici à Delacroix écrivant dans son Journal de 1855: Le mélange du comique avec le pathétique est décidément une faute de goût.)

Cependant, et ceci pour nous est essentiel, cela ne signifie nullement que l'oeuvre comique ne doive contenir que des éléments risibles. Au contraire. Je dirais même que l'alternance comique/sérieux, avec ses zones imprécises, ambiguës, fait elle-même partie de l'esthétique du comique. Car le comique dit des choses sérieuses autant dans les scènes risibles qu'entre elles. Le comique est une voie (une voix?) distincte permettant d'accéder à une compréhension particulière de l'être et du monde. Son apparente légèreté est lourde de sens. C'est peut-être ce que l'auteur de "Paludes", dans Paludes, appelait la plaisanterie sérieuse.

Souvent, l'intelligence, la sensibilité de celui qui produit le comique est même plus apparente dans les zones drôles qu'entre elles. C'est pourquoi on ne peut passer sous silence l'importance de l'empreinte du comique sur l'ensemble du texte. Souvenons-nous que les oeuvres les plus désespérées sont généralement imprégnées de comique. (Relisons Shakespeare, Cervantes, Kafka...) Eugène Ionesco a même renversé la proposition: Le comique étant l'intuition de l'absurde, il me semble plus désespérant que le tragique.

En somme, croire que l'effet comique se réduise à quelques moments d'hilarité, ce serait négliger le fait que la littérature comique, comme la littérature tout court, poursuit, par des moyens qu'elle saisit mal, certaines fins qui la dépassent. Il n'y a pas de comique qui ne contienne son contraire. D'ailleurs, en des temps aussi équivoques, prétendre être essentiellement drôle serait plutôt tragique.

Une complicité contre l'étouffement

Aussi loin que porte notre regard sur les civilisations humaines, nous constatons que les être rient et sourient. D'ailleurs, si quelqu'un, pour quelque raison que ce soit, ne rit pas, ne sourit pas, *on se dit entre nous qu'il* ne vit pas. *La capacité de rire et de sourire participe de la définition même de l'être humain. C'est en sens-là, et en ce sens-là seulement, que le rire et le sourire rassurent. (Ils nous disent que nous appartenons à cette race pensante et rieuse qu'on appelle l'humanité.) Autrement, le risible inquiète.*

On sait si peu de ce qui fait rire ou sourire qu'on renonce généralement à en parler. En ce sens, on pourrait se demander si cette incompréhension devant nos propres rires et sourires ne tiendrait pas à une profonde méconnaissance de notre temps, de nous-mêmes. Le comique est aussi, sans doute, un appel à l'aide. De fait, il y a, dans le rire et dans le sourire, quelque chose qui crée une sorte d'intimité, de complicité, entre celui qui émet et celui qui reçoit. Ce rapprochement des êtres est aussi nécessaire dans le comique littéraire que dans les cas d'histoires drôles comme on se les raconte dans les salons. Car le comique, comme l'amoureux sincère, tient la plus grande partie de son plaisir dans celui qu'il donne. Anything for a laugh! *L'auteur du trait comique a donc besoin d'un tiers à qui faire part de son dépassement du sérieux; et c'est avec ce tiers que le comique compte établir une parenté de pensée (la pensée comique) devant le réel. Cette relation d'intimité, par exemple la capacité du lecteur de se laisser séduire par la pensée comique de l'auteur et celle de l'auteur de susciter l'intérêt du lecteur, est donc essentielle. En fait, ce qui caractérise le risible, c'est cette disposition d'esprit commune à celui qui le provoque et celui que le décode. Une ouverture comique sur tout, car tout est potentiellement comique. Tout. Nos ancêtres, qui pratiquaient l'ironie et la moquerie comme un art, en savaient long sur la question.*

(On sait comment l'isolement physique de nos ancêtres les a tenus à l'écart de toute velléité scientifique ou artistique;

17

sans compter que, pour les raisons que l'on sait, la tradition orale a longtemps dominé la scène du langage des Québécois. Ces deux faits combinés — ajoutés sans doute à d'autres particularités historiques — ont produit des êtres que Marcel Rioux décrit comme plus raconteurs que discuteurs, plus blagueurs que raisonneurs. Ou plutôt des gens qui discutent en racontant, qui raisonnent en blaguant. Comment ne pas comprendre cela comme un moyen de s'unir au groupe, comme un système de défense contre un environnement inquiétant? Car peut-être rions-nous, aussi, parce que le monde nous apparaît invraisemblable, extravagant, absurde, déraisonnable, trop peu sensé pour qu'on le prenne au sérieux?)

Un autre motif du charme du risible repose sur le fait qu'il n'y a rien qui soit à la fois aussi facile (rire et sourire) et si difficile (faire rire et sourire). Et faire sourire n'est pas plus facile que de faire rire. C'est juste autre chose, un peu comme la nouvelle diffère du roman tout en lui étant apparentée. Sourire au comique demande aussi de s'abandonner à l'esprit de l'auteur, de sympathiser avec lui.

Pour bien saisir le comique littéraire, il faudrait le replacer, comme le risible en général, dans son élément indispensable qu'est la société. Cela n'est pas notre but, mais on peut quand même souligner les caractères complexes, multiples, jamais parfaitement définis, mais essentiels, et utiles, de la fonction sociale du comique.

Pour nous, on l'a vu, le comique est une façon de percevoir le réel sous un angle différent. En fait, comme le dit Laurent-Michel Vacher, en parlant d'autre chose: le réalisme est la condition incontournable du rire. *Hubert Aquin allait même plus loin:* Tu ne peux comprendre la réalité sans en prendre distance, par l'humour et l'ironie. *C'est sans doute pourquoi rien ne ressemble tant à la réalité que sa caricature. Le comique a pour objectif de conjuguer les angoisses de l'être et de modifier l'ordre social. D'ailleurs, l'observation de ses conditions de production littéraire nous permettrait de mieux éclairer l'apport du comique dans la lutte* contre l'étouffement, la répression, et *pour l'élaboration de forces suscep-*

18

tibles, à long terme, de modifier l'ordre social. (On pensera à quelques articles d'un numéro récent de la revue Lire intitulé: L'humour contre la tyrannie.)

L'accueil de l'effet comique n'est donc jamais, par définition, un geste parfaitement désintéressé; tout comme sa production est indissociable de sa communication. Ce besoin de divulguer, de transmettre le risible est à ce point irrépressible qu'il triomphe généralement de toutes les pudeurs, tous les scrupules. Ainsi le comique apparaît-il comme l'envers du sacré, qui ne respecte rien et pourfend tout et tous; les moeurs, les grandes idées ou grandes gens, les préjugés, le vénérable, le célèbre ou le hiératique. Rien ne freine le comique (l'émetteur et l'effet). Tout l'amplifie. Dans le royaume du comique, pour paraphraser Robert Escarpit, tous les dieux sont menacés. Parlez-en aux victimes des humoristes et des caricaturistes...

J'ai déjà dit ailleurs le peu de considération qu'avait l'institution littéraire pour la nouvelle. (Les critiques en parleraient peu parce que les éditeurs n'en vendraient que des miettes et les lecteurs n'en liraient pas beaucoup parce que les critiques en parleraient peu. Donc les auteurs n'en écriraient pas assez!) Or, l'attitude de l'institution est à peu près la même face à la littérature comique. Cela se voit de deux manières. D'abord par l'étroite chaise de plage sur laquelle s'entassent les grands auteurs comiques dans le spacieux hall of fame des littérateurs (le rire et le sourire apparaissant comme inférieurs aux soupirs et aux larmes); ensuite, par le peu de cas que l'on fait généralement de l'aspect comique des grandes oeuvres.

C'est dire l'audace que nous avons de vous proposer la lecture de dix nouvelles que l'on pourrait considérer comme autant de transpositions éclairées d'idées et de sentiments sur le mode comique, un comique appelant le sourire. Car ce collectif, comme les précédents et ceux qui suivront, a pour objectif d'inciter des auteurs d'ici à produire des nouvelles en

leur offrant la forme du collectif comme véhicule. Le co-
mique, ici, est leur défi de circonstance.

André Carpentier

Mai 1984

Qui trop embrase...

Noël AUDET

L'humour implique une distance dans l'empathie même et un renversement du regard: c'est décrire avec une certaine affection ce qui heurte, et avec méfiance ce qui attire. Il en résulte une disproportion dans la situation et un déplacement dans le langage. Prendre son cheval pour un royaume et Marielle pour le Paradis sont de cet ordre.

N.A. n'a pas demandé à naître, n'en mourra pas moins avec déplaisir. On a beau dire, on s'habitue. Soyons sérieux: Noël Audet est né en Gaspésie (1938), a fait ses études de lettres à Québec et à Paris. Il a publié des articles et quelques livres. Il est professeur à l'UQAM et s'intéresse particulièrement à la création littéraire. Son rêve: rendre compte de l'univers tragique par le moyen de l'humour, ce qui est peut-être une façon de dorer la pilule.

Livres de fiction:

Figures parallèles, Éditions de l'Arc, 1963.

La Tête barbare, Éditions du Jour, 1968.

Quand la voile faseille, Éditions HMH, 1980.
(récit)

Ah, L'Amour L'Amour, Les Quinze, éditeur, 1981. (roman)

Le ventre à demi posé sur la table et parcouru d'étranges soubresauts à chaque fois qu'il s'esclaffait, Felmann engloutissait les hot dogs comme un cochon des perles, tellement il semblait attacher du prix à cette nourriture qu'il tenait délicatement entre le pouce et l'index. À moins que ce ne fût par peur de se salir. Il maintenait ses petits yeux rivés sur la bouche de son interlocuteur dans l'attente du mot d'esprit libérateur.

Au moment même où l'autre allait ouvrir la bouche, Felmann prenait une grand respiration, redressait l'échine et semblait dilater uniformément l'entièreté de son imposante personne. Puis, pour une fraction de seconde à peine, il s'immobilisait, suspendu à l'attente, dans une pose de Bouddha imperturbable.

Et le mot venait à coup sûr, comme un coup d'épingle jaillissant des lèvres de Rif, un seul mot ou une courte phrase qui transformait complètement la situation: on entendait alors un sifflement aigu et la tête de Felmann s'affaissait sur sa poitrine, il était secoué de part en part comme une baudruche.

— Tu te dégonfles! fit remarquer Rif, devenu redoutablement sérieux tout à coup.

— Comment, je me dégonfle? demanda l'autre en se redressant. On gage un vieux dix que je lui pose la question?

— Ce n'était pas ça que je voulais dire, laisse tomber!

— Non non, je ramasse si tu laisses tomber. Qu'est-ce qu'on risque?

Ils dînaient au Gap-Bar, un restaurant infect qui avait le bonheur de compter parmi ses serveuses une pure merveille, dont tout le monde semblait connaître le nom au mépris du reste du personnel. Il n'y en avait que pour Marielle. Être servi par Marielle! Être sur le parcours de Marielle pour respirer, bouche ouverte, son léger parfum! À tout le moins se trouver à portée de voix de Marielle! pour l'entendre ronronner... disait Felmann. Elle semblait tout droit sortie d'une peinture de Raphaël: la peau transparente et douce, les longs cheveux blonds comme un vol de flammes, des yeux qui éclairent, des formes généreuses mais comme tenues en laisse par la vertu de l'harmonie et de la danse, quand elle marchait. Le Gap lui devait au moins la moitié de sa clientèle.

Rif et Felmann mangeaient. Et chaque fois que Marielle se penchait pour poser un plat, elle les gratifiait à tour de rôle d'un sein dévoilé à l'improviste, et qui leur restait dans la gorge. Elle les avait fermes et coquets, les pointes dressées déjà par le chatouillement du chemisier sans doute, comme deux fraises des champs, et l'auréole bien dessinée couleur café-crème.

— On dirait qu'elle fait exprès.

— On fait jamais exprès pour être belle, corrigea Felmann.

— À qui le tour? fit Rif.

— Si elle ne se trompe pas dans ses calculs, je crois bien que c'est le mien.

À vrai dire, Rif était du genre gringalet sur le retour et le gros Felmann était sûr de sa mise. Marielle glissa comme un courant d'air entre les tables et se posa en face de... Felmann.

— Tu vois?

— Ça prouve rien encore.

— Mademoiselle... commença Felmann, d'une voix à peine audible pour l'obliger à se pencher davantage et à dévoiler ses atouts.

— Oui, qu'est-ce que je peux faire pour vous? demanda-t-elle sur un ton parfaitement indifférent, là où il aurait souhaité quelque chose du genre: "Oui, mon toutou?"

— Monsieur désire... fit Rif.

— Non non! j'ai fini! reprit aussitôt l'autre en rougissant. Un café seulement.

— Et pour vous, ce sera...

— Pour moi? Tiens, des fraises... dit Rif en riant bizarrement. Mais monsieur, là, voulait vous poser une question.

— Quelle question? fit Marielle.

— Quelle question? fit Felmann.

— Ben, la question...

— Ne l'écoutez pas, mademoiselle, il déraille. Faites pas attention.

Marielle s'éloigna et Rif dit:

— Cette fois-là, tu t'es bel et bien dégonflé, mon gros! Tu me dois dix piastres.

— Jamais de la vie! C'est toi qui as dit: "Laisse tomber..."

— Mais tu as dit: "Je ramasse.." Tu la trouves trop belle pour toi, avoue! D'habitude, tu fais moins de manières. Trop belle ou trop jeune, vieux chnoque?

Le lendemain soir, Felmann se présenta trois fois de suite au Gap, pour souper. Il s'était terriblement aiguisé l'appétit en ruminant ses chimères érotiques, et il faut bien avouer qu'il avait l'appétence facile, selon le mot de Rif. Il se présentait cependant seul, cette fois. Il avait prié son nerveux collègue pompier de ne pas l'accompagner.

— Tu me fais rater tous mes coups, avec ton esprit de bottine. Tu m'enlèves mes moyens! Et puis, avait conclu Felmann, tu ferais mieux de t'acheter une perruque, l'huile de ton crâne fait fuir les femmes.

— À moins qu'elles n'aiment s'y voir comme dans un miroir! avait répondu le petit comique, toujours surprenant comme une tête de hareng dans de la soupe aux pois.

Toujours est-il que ce soir-là Felmann mangeait ses hot dogs avec appétit d'abord, car il retournait la question dans sa bouche et semblait lui trouver un goût exquis; puis il mangeait avec un peu moins d'entrain à la deuxième épreuve... en appelant cela des "chiens chauds" pour impressionner Marielle. Enfin il mangea contre son appétit, avec l'air de quelqu'un qui se ronge, lorsqu'on le servit pour la dernière fois. Pendant ses trois longues séances dévorantes, qu'il aurait même faites à genoux si cela avait pu faciliter les choses, il n'avait pas saisi le moment propice, le moment creux et palpitant, pour loger sa petite phrase d'invitation. "J'en ai pourtant vu d'autres", se disait-il, vaguement inquiet, "des mûres et des pas mûres, des sèches, des enflammées, des mouillées avant l'orage... Qu'est-ce qui peut me bloquer comme ça? Il fait pas assez froid pour me geler la langue, quand même!"

Sur le point d'éclater, tellement il avait étiré le plaisir de manger et la question dans sa tête, il ferma les yeux et plongea, sans même vérifier si elle l'écoutait:

— Z'êtes libre ce soir? lança-t-il au moment où elle allait lui tourner le dos.

— Non, dit Marielle, mais ça dépend pourquoi.

— Oh! pour rien! dit-il, pris au dépourvu. Pour savoir.

— Ça t'intéresse à ce point-là? demanda Marielle, qui tutoyait comme d'autres prient à vue de nez ou selon la mine du saint, et elle disparut.

Encouragé par cette familiarité doublée d'un demi-sourire, Felmann n'attendait plus que le retour de la grâce pour se fendre de la vraie question qui lui bloquait la gorge. Elle s'approche, attention! Il ajuste son col, renifle un peu... Non, elle a passé tout droit, mais la prochaine fois, gare à toi! Ça y est, elle se pointe dans ma direction, je la sens déjà, je flaire la même odeur qui précède l'alarme. Qu'est-ce...

— Parce que si vous étiez vraiment libre, ça m'intéresserait.

— Pour quoi faire? demanda Marielle en mâchant un chewing-gum imaginaire.

— Rien de spécial, comme tout le monde, sortir un peu, prendre l'air, faire des vagues...

— Où ça, dans ton lit?

— Moi, j'ai rien dit, dit Felmann, qui la trouvait de plus en plus sympathique.

— Moi je dis peut-être oui, peut-être non, ça dépend.

— De quoi, hein?

— Du temps qu'il fait, du vent... de toi...

— Bon, c'est réglé, je t'attends... À quelle heure tu finis?

Il venait de retrouver son aplomb des beaux jours. Il repartirait en bateau à la moindre brise, surtout si la brise est blonde, avec des voiles qui bâillent sur des lunes rousses embuées, et qu'elle est montée sur des...

Car Felmann avait toujours su dompter la fougue des incendies. Il était là pour ça. La grande échelle, ça ne lui faisait pas peur, c'est même lorsqu'il se balançait entre ciel et terre qu'il avait vraiment le sentiment d'exister. De là, il dominait la situation, il voyait le monde de haut, il se retrouvait dans la peau d'un grand enfant penché sur un carré de sable. Il avait l'impression de cracher, c'est son mot, quand il lançait le jet d'eau, le jet qui s'écrase dans le feu avec des crépitements sourds et la fumée qui monte... "Contrairement à ce qu'on pense, expliquait-il, le boyau, c'est vivant, une force incroyable, ça vous balance un homme en une seconde. Ça s'échappe des mains... Un vrai serpent c't'affaire-là! Mais le maître, c'est moi, j'lui dis: Crache là, pis pas ailleurs. C'est précis comme une décharge de mitraillette."

Rif ne montait jamais sur la grande échelle, trop intellectuel pour ça! Il se contentait de jouer aux cartes et de donner des ordres aux subalternes, de calculer l'angle d'attaque, de décider du nombre de lances nécessaires "à la lumière du brasier".

Fier de sa première manche, tous les sens en alerte, Felmann ne put se retenir plus longtemps et passa un coup de fil à Rif avant même de quitter le Gap.

— Tu me dois dix piastres, pis là c'est vrai!

— Tu veux dire que t'as posé ta question à... la Marielle du Gap?

— Mieux que ça, j'ai la réponse.

— Pis...

— Pis ça marche.

— C'est bien beau, tout ça, Cow-boy, mais qu'est-ce qui me prouve...

— Y'a pas de fumée sans feu...

— Non non, ça marche pas. J'ai besoin de témoins. Tire-Pois pourrait faire un rapport... Il donnerait son casque pour voir ça!

— Va donc... avec ton Tire-Pois!

Ils appelaient ainsi le capitaine des pompiers, Dubois de son vrai nom, une petite terreur à la voix aiguë, qui produisait en parlant une remarquable série de mini-explosions entre ses lèvres tendues comme des élastiques. Tire-Pois a dit ci, Tire-Pois a dit ça, Tire-Pois ordonne, interdit... Tire-Pois régnait sur ses hommes par la simple vibration de sa voix. Car en personne, il n'avait rien de très impressionnant, aussi préférait-il se montrer peu et lancer de loin ses brefs mots d'ordre qui retentissaient dans l'écouteur.

— Je refuse de payer tant que j'aurai pas des preuves.

— Quelles preuves? Monsieur veut des traces, des indices tangibles, une signature de sa main? Une inondation dans sa cave?

— *Qui trop embrase mal éteint*! dit sentencieusement Rif en retrouvant son esprit des beaux jours. ...Vingt!

— Vingt quoi?

— Vingt piastres qu'y aura pas d'alarme entre toi et Marielle.

— Tenu!

Rif et Felmann avaient tous deux été cités à l'ordre du mérite pompier, pour avoir souvent maîtrisé de gigantesques incendies au péril de leur vie, l'un en travaillant du cerveau sur le trottoir, l'autre en jouant du muscle au sommet de la grande échelle. Ce qui les poussait sans doute à exporter leur rivalité sur des terrains plus glissants.

— Il n'y a pas de mérite là-dedans! avait dit Rif en parlant de leur médaille. Ce quartier-là passe son temps à flamber... pour les assurances, pour faire de l'espace, pour le fun...

28

— Toi Rif, tu vois du mal partout, tu cherches la petite bête noire...

— ...pour se débarrasser des coquerelles... Parfois je me demande si le maire n'était pas de mèche...

— Pour un pompier, dit Felmann, t'as une façon de jouer avec les allumettes!

— Non mais quoi! Penses-y deux secondes: quand on veut faire place nette pour construire n'importe quoi, on fout... on fout le...

— ...le drapeau! avait crié Felmann, seulement pour le faire enrager.

Vers les onze heures du soir, le jour de la grande invitation, Felmann retourna au Gap et se contenta cette fois d'ingurgiter un Pepsi en attendant que Marielle achève son quart.

— Moi, c'est Marielle, et toi?

— Cow-boy, dit Felmann, c'est pas mon vrai nom mais c'est comme ça qu'ils m'appellent à la caserne.

— Caserne?

— Ben oui, j'suis pompier, c'est un métier comme un autre... éteindre les incendies...

Marielle porta trois doigts à sa bouche et pouffa gentiment de rire.

— Je vois pas ce qu'il y a de drôle, dit Felmann, dit Cow-boy.

— Quelle sorte d'incendie? demanda la blonde ingénue, un sourire pervers au coin de la bouche. Et elle continuait à mâcher son chewing-gum imaginaire jusqu'à ce que ses mâchoires se figent tout à coup dans cette position, à demi ouvertes. Il voyait alors un petit bout de langue jouer contre son palais.

Dix minutes plus tard, ils sortaient du Gap et ils avaient fière allure. Cow-boy bombait le torse comme il fait toujours avant d'attaquer la grande échelle, et Marielle sentait un vent de flamme lui parcourir le ventre.

— Tu sais, Cow-boy, c'est pas mon genre, dit-elle. Je fais jamais ça...

— On n'a encore rien fait de mal, me semble.

— Où est-ce qu'on va pour continuer à rien faire de mal?

— Ben... Pas dans un restaurant, en tout cas.

— À la caserne! J'ai toujours rêvé de voir ça de près, tout le gréement des pompiers...

— Ouais, dit Cow-boy, mais j'aime autant pas. Ces gars-là, tu sais, c'est pas sortable. Y me font honte.

— ...

— J'aimerais te montrer une peinture, que je viens d'acheter, que j'ai mise sur la fausse cheminée, puis qui me fait chaud au coeur. C'est pas loin, deux minutes à pied, rue Wolfe.

— Hummm... fit la mâcheuse de gomme.

Il l'entraîna par la manche jusqu'à son appartement et poussa la porte avec une certaine appréhension, même si sa femme ne devait revenir de voyage que deux jours plus tard.

— Voilà! dit-il, comme s'il venait d'accomplir un exploit et se trouvait au bout de ses peines.

— Voilà quoi? dit Marielle. Je vois pas de tableau.

— Attends, attends un peu... Laisse-nous le temps d'arriver. Tu verras...

Car ce virage était des plus délicats et Felmann tremblait de le rater et de se retrouver dans le décor. Son tableau était un nu de chez Zeller's, qu'il avait accroché au-dessus du lit conjugal au grand désespoir de Pauline.

— Si tu penses que tu vas contempler ça en me faisant... des choses! avait-elle dit.

Révéler ce tableau à Marielle, c'était avouer bêtement ses intentions plus ou moins louches, c'était gros comme un camion de pompier fonçant derrière la sirène...

— Dis donc, y'a pas de fausse cheminée ici. Où tu vois ça? Où, le tableau?

— Il est dans la chambre, là, au fond, dit-il négligemment, afin de se ménager un petit détour. Mais viens voir... j'ai quelque chose à te montrer avant.

Il montrait l'unique tableau du salon, où l'on devinait une scène d'incendie sur fond de fumée, et des pompiers dont les visages, seuls, trouaient l'ombre comme dix pommes sur un plateau noir.

— Ah! fit-elle en s'approchant, je croyais que c'était une nature morte.

— Là, c'est moi! dit fièrement Cow-boy en désignant l'une des pommes.

Car il faut dire que le héros du week-end rouge, quand tout le quartier du centre flambait, c'était lui. C'est pourquoi il avait fait agrandir cette photo pour l'installer à la place d'honneur. Il allait s'étendre sur sa performance à cette occasion, quand Marielle lui coupa la parole pour demander:

— Tu as éteint l'incendie?

— Pas vraiment...

— T'as fait quoi au juste?

— Ben, on était en grève... ça chauffait à l'Hôtel de Ville... fallait se brancher...

— T'as allumé le feu? demanda-t-elle incrédule.

— Pas vraiment... finit-il par dire. Mais il y en a qui ont fait pire: pendant que je montais tranquillement sur la grande échelle, sans me presser — c'était un moyen de pression — le niaiseux à Rif, tu sais celui qui était avec moi au Gap, ben ce niaiseux-là a coupé le boyau sans me prévenir. J'ai failli dégringoler... parce que ça donne un coup!

— Ouais! dit Marielle, quand quelqu'un coupe l'eau...

— C'est pas ça, dit Felmann, c'est quand la pression lâche, ça donne un choc!

Puis il s'empressa de l'entraîner dans la chambre avant qu'elle n'ait le temps de refroidir... Car il croyait l'avoir cuisinée à point... Manquait plus que la touche finale.

— Là! redit-il en montrant du doigt le fameux nu qui le mettait dans tous ses états.

Le tableau brillait effectivement de tous ses feux, rejetant dans l'ombre le reste du mobilier. On y voyait surgir de nulle part une grande blonde chevaline qui faisait coucou du derrière, tout l'avant du corps lancé dans le vide comme si elle

31

s'apprêtait à sauter une clôture; et elle trouvait encore le temps, la grande blonde, de lisser sa tignasse d'une main crispée.

— Flûte! dit Marielle, qui se cognait à l'instant le genou contre un vieux coffre de cèdre. Une échelle!

Cow-boy ouvrit de grands yeux sidérés. Qui parlait d'échelle pendant qu'il faisait admirer sa toile? Quoi? Ah! son bas! C'est alors seulement qu'il comprit la gravité de l'enjeu. Marielle lui semblait si... si... et tant... tellement, qu'il sentit son coeur battre comme une vieille pompe. Il ne savait plus comment enchaîner, il n'oserait pas, il n'oserait plus. Elle avait l'air d'une sainte vierge, pensait-il, de plus en plus... tellement... belle, transparente, elle jurait tellement avec le tableau!

Elle venait pourtant de lui fournir la plus belle amorce qui soit: cette échelle qui filait vers le haut, et Marielle qui retroussait sa jupe, pour voir jusqu'où... Car elle avait compris le manège depuis longtemps, et si ce Cow-boy ne se décidait pas, enfin, elle n'était pas à court d'amis... elle irait prendre son pied ailleurs, mais il aura gâché sa soirée.

Alors Felmann prit une grande respiration, fit appel à son sens de la stratégie d'urgence, puis il tomba sur les genoux, juste devant Marielle. Il mit un doigt à l'échelle en rougissant. Son doigt monta lentement, monta...

Une heure plus tard, il n'avait pas encore atteint le sommet. Il redégringolait chaque fois qu'il apercevait au bout du ciel le petit nuage rose.

— Tu me trouves pas assez belle pour toi?

— Voyons donc!... pas ça.

— Pas assez sensuelle? Tiens, regarde un peu, si je bouge comme ça...

Elle retira un à un ses vêtements, en roulant des hanches, à peine, et en dardant la pointe du sein droit, mais si finement qu'on aurait pu croire qu'il s'agissait d'un simple frisson lui parcourant l'échine.

— C'est bien! dit-il, affichant un sourire pitoyable.

— Pas assez chaude?

Elle braquait alors sur lui tout l'incendie de sa chair; elle se contorsionnait dans un superbe ralenti; elle planait comme un ange démoniaque. Pendant tout ce temps, Felmann se contentait de transpirer à grosses gouttes, comme un ours au zoo... Il voulait mourir. Plus elle en ajoutait, plus il avait honte.

— ... comprends pas! disait-il en se tapant le front. D'habitude...

— Déshabille-toi, ça va venir tout seul! dit-elle, compréhensive.

Il retira ses vêtements comme un enfant coupable, en lui tournant le dos.

— Tu me disais l'autre jour, dit-elle au bout de la deuxième heure: Tu sais pas ce que tu manques!

— D'habitude...

— D'habitude, peux-tu me dire ce qui te manque, à toi? dit-elle en secouant l'instrument coupable entre le pouce et l'index.

— C'est pas comme ça que tu arriveras à le faire parler, dit Felmann, complètement déprimé.

— Y'a plus de courant? fit-elle en pratiquant un petit massage beaucoup plus tendre.

— Quoi quoi? Qu'est-ce tu veux dire encore? Laisse-moi tranquille, ça va revenir.

— Je vois, je vois, dit Marielle en descendant du lit. On a des problèmes avec son petit boyau...

Elle s'habilla dare-dare, enfila son manteau et se dirigea droit vers la porte. Puis elle se retourna pour dire: "Si le courant revient, préviens-moi!" Et elle sortit, après avoir croqué une énorme boule de gomme.

Rif attendit une partie de la nuit le coup de téléphone qui scellerait l'issue du pari. Il ne vint pas. "Cow-boy a dû tomber de son cheval", marmonna-t-il, et il glissa le billet de vingt dollars dans sa poche de fesse avant de se laisser tomber tout rond sur son lit et de se mettre à ronfler comme un moteur.

Deux jours plus tard, rue Montcalm, Rif croisa Felmann: il avait une mine d'enterrement comme s'il n'avait pas dormi de toute la fin de semaine.

— Pis? demanda Rif, qui s'apprêtait à sortir son billet de vingt dollars...

— Y'a pas de pis, pas marché, c'est tout, tiens ton maudit vingt piastres! Et il lui glissa dans la main un vieux billet tout froissé.

— Ah bon! fit Rif qui allait se lancer dans une de ses explosions verbales...

— Écrase! dit Cow-boy.

— Il prend ça dur, le monsieur...

— Ta gueule!

— Bon bon, viens-tu faire un tour au Gap?

— Non, ma femme m'attend. Mais je te reprendrai, dit-il.

Il vira les talons et s'enfonça dans le noir comme la bonne pomme de la "nature morte". Il murmurait *Embrase embrase...*

Tous des imbéciles

François BARCELO

Le plus drôle, avec l'humour, c'est que mes lecteurs et lectrices trouvent amusantes les pages que je croyais tristes, et émouvantes celles que je voulais comiques. Je songe de plus en plus sérieusement à ajouter des indications en marge: RIEZ ICI... NE RIEZ PAS... ou RIRE FACULTATIF MAIS NON OBLIGA-TOIRE.

Rien n'est moins drôle que la vie de François Barcelo. Né il y a 42 ans (ce qui est déjà fort triste), il a été marié deux fois (ce qui n'est guère plus gai), a divorcé deux fois (ce qui compense à peine), a eu quatre enfants (pas de quoi rigoler là non plus) et a écrit trois romans qui lui ont donné malgré lui une réputation d'humoriste et dont aucun n'a encore remporté le moindre prix littéraire (ce qui lui aurait pourtant permis de s'amuser un peu). Bref, il se demande si sa présence dans ce collectif n'est pas le résultat d'une sinistre blague.

Livres de fiction:

Agénor, Agénor, Agénor et Agénor, roman, Les Quinze, éditeur, 1981.

La Tribu, roman, Libre Expression, 1982.

Ville-Dieu, roman, Libre Expression, 1983.

Dix contes et nouvelles fantastiques, nouvelles. En collaboration. Montréal, Les Quinze, éditeur, 1983

— Je peux entrer?

C'est Marguerite Deshaies. Sur sa poitrine, elle serre une grande enveloppe blanche.

— Oui, entre.

Elle referme la porte derrière elle, prend une profonde respiration, fait mine de ne pas se résoudre à parler. Je la laisse jouer son petit jeu de grande conspiratrice.

— J'ai trouvé la cause du SIC, dit-elle enfin en s'assoyant et en posant l'enveloppe sur ses genoux.

Marguerite Deshaies est professeur de botanique artificielle à l'université où je suis titulaire du cours d'aménagement paysager suburbain.

J'apprécie sa compagnie. Elle est jeune, jolie, imaginative, intelligente, passionnée. Si je ne m'étais pas juré depuis vingt ans de demeurer célibataire jusqu'à la fin de mes jours, elle me donnerait la tentation de changer d'avis.

J'ai dit qu'elle est intelligente? Oui, mais sans exagération. Pas au point, en tout cas, de trouver à elle toute seule la cause du syndrome d'insuffisance cérébrale — cette nouvelle maladie sur laquelle plusieurs des plus brillants chercheurs du monde entier se penchent en vain depuis des semaines.

Avec son enveloppe sur les genoux, Marguerite me fait penser à une étudiante qui vient me présenter un de ses travaux, et qui a hâte de connaître ma réaction tout en la redoutant. Elle croise les jambes, puis les bras. Elle attend que je l'interroge. Je me sens forcé de jouer son jeu.

— Comme ça, tu as trouvé la cause de la maladie des vedettes?

(C'est le surnom que les journaux à sensation donnent au SIC, parce que plusieurs personnes de grande réputation, dans tous les domaines des arts, des sciences et même des sports et de la politique, en sont décédées.)

— Oui, répond Marguerite.

Elle se tait. Elle préfère que je l'interroge, que je lui arrache les mots un à un. Je soupire, parce que je trouve ce procédé infantile. Mais comment ne pas m'y plier?

— Alors, qu'est-ce que c'est, cette cause?

Le regard de Marguerite se met à pétiller. Elle savoure d'avance ce qu'elle va me dire, et cela m'agace suprêmement.

— L'intelligence.

— L'intelligence?

Elle prend plaisir à faire semblant de me prendre pour un imbécile. Et je me sens effectivement un peu idiot à répéter ainsi ce qu'elle dit, dans l'espoir que cela me donnera le temps d'en découvrir le sens. Mais je ne trouve rien.

— Oui, l'intelligence, reprend-elle. Le SIC s'attaque aux personnes les plus intelligentes de la société.

Ai-je l'air incrédule, ou cela se voit-il que je ne comprends pas ce qu'elle me dit? Toujours est-il qu'elle se résout enfin à sortir une première feuille de l'enveloppe posée sur ses genoux.

— Rhyzom, Stem et Seringa, récite-t-elle. Les trois plus grands joueurs d'échecs de notre époque. Morts tous les trois il y a quatre mois. Cela aurait dû suffire à mettre la puce à l'oreille des journalistes, des gouvernements et des chercheurs, non? Pas du tout: ce sont tous des imbéciles, ceux-là. La preuve, c'est qu'il n'en meurt pas beaucoup.

Elle est d'une mauvaise foi évidente. Pas la peine de la contredire.

— Ainsi, ma chère Marguerite, la mort de trois grands maîtres d'échecs prouve que le SIC s'attaque surtout aux gens intelligents?

J'ai presque envie d'ajouter:"Si tu es si intelligente que ça, comment se fait-il que tu sois encore vivante?" Mais je préfère garder cet argument en réserve.

— Le SIC ne s'attaque pas *surtout* aux gens intelligents. Il s'attaque *seulement* aux gens intelligents. Écoute...

Et elle continue la lecture de sa liste. Il y a là des sommités dans tous les domaines, toutes mortes récemment et, à ce que semble croire Marguerite, toutes victimes du SIC. Un président de république africaine. Neuf prix Nobel. Plusieurs artistes, écrivains et cinéastes. Même une vedette de hockey. Et aussi une douzaine d'autres personnes pour lesquelles Marguerite Deshaies semble avoir la plus haute considération, même s'il y a quelques noms que je n'ai jamais entendus. Mais je trouve plus simple de continuer à hocher la tête comme si je connaissais ces gens-là aussi, plutôt que de poser des questions et me faire répondre: "Comment, tu ne connais pas le plus grand ceci ou la plus grande cela de notre époque?"

— Ici même, Racine et Pépin sont morts, ajoute Marguerite en remettant sa liste dans l'enveloppe.

— Racine, passe encore. Sa théorie de la répulsion de la matière est géniale, à ce qu'on dit. Mais Pépin, qu'est-ce que tu lui trouvais?

— C'était le plus brillant esprit de cette foutue université, réplique Marguerite avec colère. Tu ne lui as jamais parlé?

— Non, pas vraiment.

— C'est vrai, toi, tu ne parles qu'aux jolies femmes.

Est-ce un compliment ou une insulte? J'en retire, en tout cas, un certain plaisir.

Je dois reconnaître que Marjolaine Pépin n'était pas belle, quoique certains collègues eussent prétendu qu'elle avait de beaux yeux. Je dois aussi admettre qu'elle avait une excellente réputation comme professeur de statistique. Mais de là à lui accorder un certificat de génie, il y a une marge. D'ailleurs, qu'en ferait-elle, maintenant qu'elle est morte? Je préfère détourner la conversation.

— Pourtant, il paraît que le SIC touche plus les femmes que les hommes.

Cette fois, Marguerite fait mine de se lever. Elle est furieuse.

— Excuse-moi, je plaisantais, dis-je pour la calmer. Ce que je voulais dire, c'est qu'il n'y a pas que des prix Nobel qui sont morts. Le SIC a tué des gens de toutes les classes sociales.

J'ai réussi à faire oublier ma gaffe. Cette fois, Marguerite prend un air grave, fronce les sourcils, baisse le ton.

— Sais-tu comment j'ai eu la preuve que le SIC s'attaque uniquement aux gens intelligents?

— Non?

— Le journal d'hier parlait d'une clocharde trouvée morte du SIC, rue Saint-Louis.

— Oui, j'ai lu ça.

— Ce matin, je suis allée à la morgue, et j'ai demandé à voir les effets personnels de cette femme. Devine ce que j'ai trouvé dans le fond de son cabas?

Je ne devine pas.

— Une carte de Mensa!

Je fronce les sourcils, en cherchant à me souvenir. Ah oui, Mensa, c'est cette société qui prétend n'admettre que des gens d'intelligence supérieure. J'avais, dans ma jeunesse, songé à m'y inscrire, mais je ne l'avais pas trouvée dans l'annuaire téléphonique.

— Je suis prête à parier, poursuit Marguerite, que les autres personnes démunies mortes du SIC avaient elles aussi une intelligence supérieure à la moyenne.

J'ai du mal à ne pas rire. La théorie de Marguerite est tellement cousue de fil blanc, que je ne sais trop par quel bout l'attaquer.

— Il y a des tas de gens intelligents qui n'ont pas le SIC. Le doyen, par exemple...

— Le doyen est un vieil imbécile doué d'une mémoire d'éléphant, tranche Marguerite, catégorique. Mais son tour viendra peut-être un jour, à lui aussi.

Je ne comprends pas.

— Oui, poursuit-elle, À mon avis, le SIC s'attaque à des gens de moins en moins intelligents. Regarde...

Elle sort une autre feuille de son enveloppe, mais ne me la tend pas.

— Je me suis concentrée sur le joueurs d'échecs, parce que ce sont les gens dont l'intelligence est universellement mesurée par leur classement. Les premières semaines, les grands champions sont morts. Les semaines suivantes, les autres grands maîtres internationaux ont commencé à mourir. La semaine dernière, c'étaient plusieurs simples maîtres...

— Tu veux dire que le SIC s'attaque aux gens dans l'ordre décroissant de leur quotient intellectuel, et que si ça continue il ne restera plus sur Terre que des imbéciles?

— Exactement

J'éclate de rire.

— Chère Marguerite, tu as beaucoup d'imagination. Mais si tu es si intelligente, comment se fait-il que tu sois encore vivante?

Jamais, de toute ma vie, je n'ai regretté si rapidement des paroles si étourdies.

Marguerite ne dit pas un mot. Elle met simplement les doigts de sa main droite à sa gorge et défait les boutons du haut de son chemisier. Par l'échancrure, j'aperçois le début de la rondeur d'un sein. Je me demande à quoi Marguerite veut en venir. Elle ouvre encore un peu son corsage et j'aperçois la tache de vin du SIC — celle dont les journaux ont tant parlé, et qui est le seul symptôme apparent de la mystérieuse maladie. Dans deux ou trois jours tout au plus, Marguerite sera morte.

— Excuse-moi, bredouillé-je. Il faut faire quelque chose.

— Il n'y a rien à faire, tu le sais bien.

Je reste là, devant elle, ne sachant comment réagir. J'aimerais qu'elle verse une larme ou se mette à pleurer franchement; j'irais alors près d'elle et je la serrerais dans mes bras. Mais non, elle garde son air de jeune femme qui contrôle parfaitement la situation.

— Prends ça, me dit-elle en me tendant sa grande enveloppe. Ce sont mes notes sur le SIC. Je sais bien que ce ne sont pas des observations de spécialiste, mais peut-être trouveras-tu quelqu'un, au Centre de recherche immunologique, qui en fera bon usage.

Sur ce, elle se lève, se dirige vers la porte.

— Encore une question, fais-je alors qu'elle tourne le bouton.

— Oui?

— Pourquoi me confier ça à moi?

Elle sourit, de toutes ses dents.

— Parce que je sais que tu ne risques pas de mourir demain matin.

*   *   *

J'apprends aujourd'hui, par le journal, que Marguerite Deshaies est morte hier — deux jours après notre conversation.

Sont aussi décédés hier, du SIC, le chef de l'orchestre symphonique et un prisonnier condamné à perpétuité pour le meurtre d'un petit garçon. J'ai envie de téléphoner à la prison pour demander si on connaît le quotient intellectuel du prisonnier décédé. Mais je ne sais pas quoi répondre si on me demande la raison de mon appel.

Je vais plutôt au Centre de recherche immunologique. Je demande à voir Narcisse Laplante, qui était dans ma classe au collège, et qui est un de nos chercheurs les plus réputés.

On me dirige vers la salle d'informatique. Une grande table est couverte d'imprimés d'ordinateur, qui se déversent sur le plancher. Laplante est seul, penché sur la table, à examiner des données.

Il lève vers moi un regard fatigué.

— Bonjour. Tu veux me parler?

— Oui.

— À quel sujet?

— Le SIC.

— Ça tombe bien, je ne m'occupe que de ça.

Je tends à Laplante l'enveloppe que m'a confiée Marguerite.

— Ce sont les notes d'un professeur de ma faculté, Marguerite Deshaies.

— Celle qui vient de mourir? Jolie fille. Intelligente, à part ça. Trop, peut-être. Je suis déjà sorti avec elle.

Je suis ravi: Laplante vient de me servir l'entrée en matière idéale pour un sujet que je ne savais comment aborder.

— Justement, elle soutenait que le SIC s'attaque d'abord aux personnes les plus intelligentes.

— C'est une théorie intéressante. Malheureusement, elle ne tient pas debout. On y a pensé tout de suite, tu penses bien. Mais ce n'est pas parce qu'une maladie s'attaque au cerveau qu'elle est causée par l'intelligence. La syphilis, par exemple, finit par causer la débilité mentale. Pourtant, j'ai rencontré de parfaits imbéciles qui l'avaient attrapée.

Laplante cherche parmi les papiers étalés sur la grande table.

— Ah, voilà les statistiques les plus récentes du B.I.C.L.S.I.D.

— Le B.I.L...

— Le Bureau international de coordination de la lutte contre le syndrome d'insuffisance cérébrale. Regarde...

Je me penche sur les longues colonnes de chiffres, et je ne vois que de longues colonnes de chiffres. Je préfère laisser parler Laplante.

— Regarde. On n'a pas de statistiques sur le quotient intellectuel des victimes du SIC, puisqu'il est impossible de déterminer le Q.I. d'une personne qui vient de mourir. On ne l'a que pour un mort sur cent. C'est insuffisant comme base statistique. La seule chose qui nous a fait croire un moment que le SIC pouvait avoir un rapport avec l'intelligence, c'est que de nombreux grands personnages en sont morts. Mais il y a aussi des milliers d'illustres inconnus au nombre des victimes. Si on examine les chiffres de manière globale, on se rend compte que les groupes les plus touchés sont les femmes, les noirs, les moins de trente ans et quelques groupes minoritaires.

— Et les groupes les moins affectés?

Laplante cherche un autre imprimé d'ordinateur, le trouve avec une rapidité étonnante. Il soupire.

— La liste est longue. Parmi les groupes sociaux les moins touchés par le SIC, on trouve notamment: les hommes politiques, les blancs, les juges, les médecins spécialistes, les hommes d'affaires, les policiers, les militaires... et j'en passe. Mais il faut faire attention: ce ne sont que des déviations statistiques. Chez les femmes, l'indice du SIC n'est que de 101,2. Chez les noirs, 100,9. Chez les policiers, 98,7. Les juges ont le plus fort écart: 96,5. Ce sont donc des écarts insignifiants, même s'ils portent déjà, dans le monde entier, sur des dizaines de milliers de décès.

— Qu'est-ce que tu en conclus? demandé-je, incapable de tirer moi-même une conclusion.

— J'en conclus que la théorie de l'intelligence comme principal facteur d'attraction du SIC est absolument farfelue.

— Je ne vois pas très bien.

— D'une part, il serait bien étonnant que les groupes qui ont traditionnellement dominé la société — comme les militaires ou les politiciens — soient les moins intelligents. Comment auraient-ils pris tant de pouvoir? Par la seule force physique? Cela me semble difficile à avaler. Je serais plutôt porté à croire que, si le SIC tue moins de politiciens ou de policiers, cela prouve au contraire qu'il s'attaque d'abord aux gens les moins pourvus intellectuellement.

— Ce qui expliquerait que les femmes et les noirs meurent en plus grand nombre?

— Exactement.

— Comment en être sûr?

— Faisons la preuve par l'absurde. Imaginons que le SIC s'attaque effectivement aux personnes les plus intelligentes et que ces personnes soient proportionnellement plus nombreuses chez les femmes et les noirs. Et supposons que nous l'annoncions publiquement. Les femmes et les noirs pourraient-ils admettre que la lutte contre le SIC soit menée essentiellement par des gens n'appartenant pas à leurs groupes — puisque la plupart des chercheurs sont blancs et mâles — et qui, par dessus le marché, seraient moins intelligents qu'eux? Si tu étais femme ou noir, et à plus forte raison femme *et* noire, est-ce que tu ne t'imaginerais pas que les mâles blancs, qui sont responsables de neuf dixièmes des travaux de recherche sur le SIC, font exprès pour ne pas trouver de remède?

— Effectivement, à leur place, je réclamerais que les femmes et les noirs participent plus aux travaux de recherche.

— Oui, mais alors, si les femmes et les noirs sont plus intelligents et meurent plus vite, ils ne pourraient pas poursuivre bien longtemps leurs recherches. On n'en sortirait pas: il faudrait confier de nouveau ces recherches aux blancs mâles, moins intelligents et moins aptes à trouver un remède.

— C'est pourtant vrai.

— Maintenant, imaginons que dans ce contexte nous — les mâles blancs — trouvions malgré tout un remède au SIC. Nous nous ferions massacrer.

— Pourquoi?

— Parce que les noirs et les femmes refuseraient de croire que nous avons fait aussi vite que possible. N'oublie pas qu'étant plus intelligents que nous ils seraient morts en plus grand nombre et seraient devenus proportionnellement moins nombreux qu'auparavant. Les femmes et les noirs ne se diraient-ils pas que nous avons laissé mourir — volontairement ou par stupidité — les meilleurs d'entre eux?

— Mais nos cerveaux les plus brillants seraient morts aussi...

— Oui, mais nos pertes seraient inférieures aux leurs. Crois-moi, s'il était prouvé que les femmes et les noirs sont plus intelligents que les policiers ou les juges et que c'est cela justement qui les fait mourir, le sang finirait par couler dans les rues, que nous trouvions ou non une cure au SIC. Si nous en trouvons une, ces gens ne voudront plus laisser le pouvoir aux élites traditionnelles. Si nous n'en trouvons pas, ils nous accuseront de nous traîner les pieds ou d'être incompétents, alors qu'ils seraient incapables de faire mieux ou plus vite eux-mêmes.

— C'est compliqué.

— Oui. Associer le SIC à l'intelligence, c'est jouer avec le feu. Le SIC *doit* avoir une autre cause. Elle est là, quelque part. Et je la trouverai.

Il fait un large geste englobant tous les imprimés d'ordinateur dispersés sur la grande table et sur le plancher. Son allure déterminée me rassure. Il me tend l'enveloppe de Marguerite Deshaies sans même l'avoir ouverte.

— Garde ça en souvenir de ton amie.

Il me pousse doucement vers la porte. Je jette un coup d'oeil par-dessus mon épaule. Sa chemise est suffisamment échancrée pour laisser paraître la tache du SIC s'il en est atteint. Mais je ne vois rien.

"Au moins, pensé-je, il a des chances de vivre assez long-temps pour trouver les causes de la maladie."

* * *

Ce matin, le journal m'apprend que le SIC prend des proportions épidémiques. Dans chaque grande ville du monde, des centaines de gens en meurent chaque jour. Les gouvernements multiplient les budgets consacrés à la lutte contre la maladie. Mais, comble de malheur, plusieurs des chercheurs les plus réputés ont été parmi les premiers touchés.

Tout cela m'angoisse un peu. Heureusement, ce matin, je ne donne pas vraiment de cours. Une étudiante doit lire son exposé sur la répartition des couleurs dans les jardins de fleurs vivaces. Je sais que cet exposé sera intéressant, puisque Rose Desjardins (elle m'a dit un jour avoir choisi la carrière d'architecte paysager uniquement à cause de son nom) est un esprit original. Ses exposés ne plagient jamais les manuels ou les encyclopédies. Ils sont toujours fondés sur des observations personnelles, souvent amusantes.

Je n'ai qu'à présenter brièvement le sujet et aller m'asseoir au premier rang de l'amphithéâtre, écouter, puis faire quelques commentaires.

Mais le cours devrait être commencé depuis quelques minutes, et Rose Desjardins n'est toujours pas arrivée. Cela ne m'étonne guère, car elle est souvent en retard à mes cours. Je me contente de regarder ma montre à quelques reprises pour que les étudiants voient bien que leur camarade est en retard.

Une jeune fille lève la main, timidement.

— Oui, Lafleur?

— Vous n'avez pas lu le journal, monsieur?

— Je l'ai lu en diagonale. Pourquoi?

— Desjardins est morte.

— Comment?

— Le SIC.

Je suis atterré. J'enseigne depuis vingt-cinq ans et c'est la première fois que j'ai le malheur de perdre ainsi une élève juste au moment où elle doit donner un cours à ma place. Et je n'ai rien préparé d'autre.

Lafleur lève la main de nouveau.

— Oui?

— Elle m'avait remis son exposé et demandé de le lire à sa place, si vous n'y voyez pas d'objection.

— C'est une excellente idée, dis-je avec soulagement.

Je laisse l'estrade à Lafleur et je m'efforce d'écouter l'exposé de Desjardins. Effectivement, c'est un texte original, où je ne reconnais pas une seule phrase susceptible d'avoir été glanée ailleurs. Desjardins y soutient que, contrairement à la traditionnelle recherche de l'harmonie des couleurs, il faut plutôt accentuer les contrastes violents, moins lassants à la longue. Je ferme les yeux et j'imagine les exemples audacieux qu'elle propose, et ses idées me semblent à la fois choquantes et bizarrement sensées. Je me prends à regretter d'avoir toujours donné à Desjardins des notes très moyennes, alors qu'elle était (je m'en rends compte bien tard) l'étudiante la plus brillante de la faculté d'aménagement paysager.

* * *

L'INTELLIGENCE TUE! clame le journal d'aujourd'hui. L'article que coiffe ce titre date pourtant de quelques semaines. C'est l'oeuvre d'un journaliste décédé du SIC. Et son texte est présenté avec de nombreuses précautions. Le rédacteur en chef du journal trouve la théorie troublante, malgré l'évidente subjectivité de son auteur. "Mais, conclut-il, il était de notre devoir de la publier, car les rumeurs reliant le SIC à l'intelligence sont de plus en plus nombreuses dans notre ville et dans d'autres grandes villes du monde."

D'après l'article, ces rumeurs ont pris naissance dans les universités, où les étudiants à l'esprit frondeur prétendent s'être rendu compte que les meilleurs professeurs meurent les premiers tandis que les pires survivent.

En entrant dans la salle de cours, je devine que les étudiants ont lu le journal. Ils me regardent d'un air moqueur. J'ai envie de leur faire remarquer que, s'il était vrai que les professeurs qui restent sont des imbéciles, cela serait également vrai des étudiants. Mais je préfère me taire. D'autant plus que le doyen vient m'annoncer que le professeur d'aménagement paysager urbain est mort le nuit dernière, et qu'il faut joindre nos deux classes en une.

— Dieu merci, ajoute-t-il, il meurt presque autant d'étudiants que de professeurs.

J'ai beau ne pas me sentir particulièrement brillant aujourd'hui, je reconnais que Marguerite Deshaies avait raison sur un point: le doyen est incontestablement un vieil imbécile.

* * *

Je veux en avoir le coeur net. J'ai demandé aux services psychométriques un rendez-vous pour passer un test de quotient intellectuel. On s'est étonné que je n'en aie jamais subi. Mais j'ai souvent changé d'école et de collège, et j'ai dû les éviter par hasard, en quittant une classe où les élèves allaient passer leur test pour une autre qui venait tout juste de le subir.

J'ai longuement réfléchi avant d'y aller. Les médias, subitement convaincus que le SIC a un rapport direct avec l'intelligence, prétendent qu'il frappe maintenant les gens qui ont de 115 à 120 de Q.I. Les plus de 120 seraient presque tous morts. (Je m'étonne que les journaux qui prétendaient au début que le SIC tuait plus de femmes que d'hommes n'en parlent plus maintenant. Y aurait-il là quelque censure? Je n'arrive pas à le croire.)

Comment réagirai-je si j'apprends que j'ai 110 ou 115 — et donc peu de temps à vivre? Est-ce que je ne ferais pas mieux de rester dans l'ignorance?

Tandis que le psychométriste me tend le questionnaire et un crayon, je songe que je souhaiterais sans doute me contenter d'un Q.I. de 100 ou 105 — à peu près la moyenne — ce qui me laisserait encore quelques mois de vie, pendant lesquels les savants auraient peut-être le temps de trouver un remède.

— Attention, dit le psychométriste. Il y a maintenant des gens qui, consciemment ou non, tentent de tricher et de se faire passer pour moins intelligents qu'ils ne sont. L'ordinateur est parfaitement capable de déceler les tentatives de tricherie, et vous devrez recommencer le test avec un autre questionnaire. Vous n'êtes pas venu ici pour perdre votre temps ou me faire perdre le mien, n'est-ce pas?

Je nie vigoureusement, de la tête. Et je m'étonne que des gens songent à tricher sur une question si grave.

— Alors, faites de votre mieux.

Je m'efforce de répondre correctement à toutes les questions. Elles sont difficiles. Lorsque j'étais étudiant, j'aimais beaucoup les jeux de logique — les dames et les échecs, par exemple. Mais j'ai perdu l'habitude des exercices d'intelligence pure. Avec le temps, j'ai appris à remplacer le raisonnement par l'expérience, le savoir, l'instinct. Et je me trouve dépourvu devant ces points à déplacer, ces plis à deviner, ces séquences à compléter.

— Arrêtez!

Il ne me restait plus à remplir qu'une demi-page sur douze. Je suis fier de moi, mais fatigué comme je ne l'avais pas été depuis longtemps. Un peu plus, et je croirais que j'ai la tête qui surchauffe.

Le psychométriste glisse le questionnaire dans une fente de l'ordinateur.

— Il n'y en a que pour une minute.

En effet, le ronronnement de l'imprimante me tire bientôt de ma rêverie.

— Voilà, dit le psychométriste avec satisfaction en retirant la feuille.

— Combien?

— 92.

— Seulement? Vous en êtes sûr?

— L'ordinateur ne se trompe jamais. Toutefois, 92 n'est pas une note aussi précise qu'elle le paraît. Il y a une marge d'erreur de 5 points. Donc, 92, ce peut être 97, tout aussi bien.

— Ou 87?

— Précisément.

— Et quelle est la moyenne?

— Au départ, la moyenne était censée être de 100 exactement. Avec l'expérience, on s'est aperçu qu'il y a des différences assez sensibles, en fonction de l'âge, par exemple. Dans votre cas — le début de la cinquantaine — la moyenne est de...

Il consulte un tableau épinglé au mur derrière lui.

— 98.

— Ouais.

— Six points sous la moyenne, ce n'est pas énorme.

— Est-ce suffisant pour être professeur d'université?

— Nous avons même un 76 en droit, et un 75 en littérature. D'ailleurs, c'est le genre de candidats que cherchent maintenant certaines facultés qui ont perdu deux ou trois doyens depuis quelques semaines.

— Au moins, fais-je en soupirant, j'en ai encore pour quelque temps à vivre.

Le psychométriste grimace.

— Méfiez-vous de ces résultats. En plus de la marge d'erreur, il faut savoir qu'un test de Q.I. ne mesure pas vraiment votre intelligence. Il mesure simplement votre aptitude à répondre au test. Une fois sur cent, il y a une différence de plus de dix points. Vous pouvez donc être beaucoup plus intelligent que ne le laisse croire votre Q.I.

— Je pourrais aussi être plus nul encore?

— Parfaitement. N'est-ce pas ce que vous souhaitez?

Il se lève, me serre la main. Je sors de son bureau plus perplexe que jamais, alors que j'y étais entré dans l'espoir d'être fixé.

* * *

Les corridors de l'université, les restaurants et les bars retentissent maintenant de blagues de débiles. Ce sont en général des histoires drôles créées il y a plusieurs années pour se moquer de groupes ethniques. Et elles ressortent maintenant, en remplaçant les Terre-Neuviens par des professeurs d'université, les Italiens par des politiciens, les Belges par des intellectuels.

Ce qui me frappe, c'est que les gens rient maintenant d'eux-mêmes au lieu de rire des autres. Les imbéciles rient des imbéciles, comme toujours, mais cette fois ils savent que ce sont eux, les imbéciles. Et cela les fait rire encore plus fort.

Ces blagues ne me font pas rire souvent. J'ai déjà lu quelque part qu'on rit parce qu'on se croit supérieur à la personne dont on rit — par exemple au distrait qui glisse sur une peau de banane. Les gens rient-ils maintenant parce qu'ils continuent à se croire supérieurs aux imbéciles dont ils rient? Dans ce cas, aurais-je cessé de rire parce que je ne me sens aucune supériorité sur les pauvres héros de ces histoires?

51

Tout cela est horriblement compliqué. Moi qui m'étais toujours cru capable de comprendre et d'expliquer l'univers, voilà que je me sens désarmé, à la fois naïf et soupçonneux, devant les événements.

Il arrive pourtant qu'une de ces histoires me fasse rire. Celle-ci, par exemple.

Deux professeurs d'université sont à la pêche, sur un lac, dans une barque qu'ils ont louée. Ils prennent beaucoup de poissons. À la fin de la journée, le premier déclare:

— C'est le temps de rentrer. Mais il faudrait marquer l'endroit pour revenir pêcher à la même place la semaine prochaine.

— On n'a qu'à faire une marque dans le fond de la barque, suggère le second professeur.

— Imbécile, réplique le premier, on n'est même pas sûr de ravoir la même.

* * *

La situation devient difficile.

Près du tiers de la population de la planète est morte. On jette les corps dans d'immenses charniers. On les brûle. On les pousse à la mer. Quelques pays, après avoir perdu les uns après les autres plusieurs chefs d'État, ont simplement nommé président le plus débile de leurs citoyens, sous prétexte de stabilité politique.

Pourtant, le monde ne semble pas aller si mal, dans les circonstances. Peut-être les gens intelligents ne faisaient-ils pas si bien leur travail, du temps qu'ils étaient là?

Chez nous, le personnel politique a peu changé.

À l'université, la situation est souvent cocasse. Les professeurs ont été avisés de ne plus utiliser de mots de plus de trois syllabes. Et les étudiants ont appris à parler lentement aux enseignants, en détachant bien chaque parole, pour être sûrs d'être compris. Même une conversation entre deux personnes d'intelligence moyenne prend un temps fou parce qu'on est en train de perdre l'habitude de converser avec des gens d'intelligence moyenne.

Tout le monde traite tout le monde comme des imbéciles. Aux dernières nouvelles, les Q.I. de 110 commençaient à partir.

J'en ai encore pour longtemps.

* * *

La cafétéria des professeurs, jamais très fréquentée, est maintenant presque déserte.

J'avise une table à laquelle une femme, assise, me tourne le dos. Je n'aime pas manger seul. Je m'assois devant elle, en posant mon plateau sur la table.

— Bonjour.

Je ne la connais pas. Mais après l'avoir regardée manger pendant quelques instants, je lui trouve un visage familier. Oui, j'ai déjà vu cette femme quelque part.

— On se connaît?

Elle sourit tristement.

— Oui.

C'est la voix de Laplante.

— Pas possible!

— Je n'arrivais plus à travailler en homme.

— Pourquoi? Les journaux ne disent plus que les femmes seraient plus attaquées que les autres.

— Le secret est bien gardé. Autrement, ce serait l'anarchie.

— Alors, pourquoi te déguiser? Ça ne te fera pas vivre plus longtemps, tout de même.

— Non, mais je ne pouvais plus me regarder dans un miroir.

Je ne comprends pas. Je hausse les épaules et plonge le nez dans ma soupe. Laplante a fini de manger. Il se lève et s'éloigne en se dandinant maladroitement sur ses talons hauts.

* * *

Ça y est, je l'ai!

Oui, j'ai le SIC.

En me rasant, je me suis vu dans la glace un début de tache vineuse à la base du cou. La maladie ne doit pas être très avancée, puisque la tache est plus petite et plus pâle que celle que j'ai vue jusqu'ici sur d'autres.

Mais j'ai la tache du SIC.

Un instant, j'ai songé à annuler mon cours de ce matin, et à suivre immédiatement les directives du gouvernement: passer au bureau d'inscription des victimes du SIC pour faire ajouter mon nom au fichier et recevoir ma dose de Sicalon, le nouveau médicament qui atténue les douleurs de la phase terminale de la maladie. (Les chercheurs n'ont encore rien trouvé de mieux qu'un analgésique!)

Je n'aurais alors qu'à me laisser mourir le plus agréablement possible: en regardant un bon vidéo ou en écoutant mes disques préférés.

Mais — est-ce le sens du devoir ou l'envie de montrer à mes imbéciles d'étudiants que je suis moins stupide qu'eux? — je ne peux résister à la tentation d'aller donner mon dernier cours. Je jette encore un coup d'oeil dans la glace avant de sortir de chez moi. Ma tache ne se voit pas assez, à cause de ma veste neuve, trop serrée au cou. Je mets plutôt un chandail à col largement échancré.

J'arrive un peu en retard dans l'amphithéâtre. Les étudiants sont encore moins nombreux que la semaine dernière. Je m'assois au pupitre et j'écoute avec délices les chuchotements inhabituels: les premiers à remarquer ma tache du SIC la signalent à leurs voisins.

J'ouvre mon cahier de notes soigneusement rassemblées depuis vingt ans. Mais, pour la première fois, je me surprends à improviser — au sujet de la répartition des couleurs dans les jardins de plantes vivaces. Bien entendu, je pars de l'exposé de Rose Desjardins. Mais j'ajoute à sa théorie, je la clarifie, je l'approfondis tant et si bien que je suis sûr qu'aucun étudiant n'y reconnaît les idées exprimées par leur camarade.

Bref, je suis brillant. Pouvais-je faire moins pour mon dernier cours?

Je passe ensuite au bureau du doyen, lui annoncer que je vais les quitter — lui, son université et ce bas monde. Le doyen hoche la tête tristement. Il m'a souvent dit que j'étais un des rares professeurs de la faculté avec lesquels il pouvait s'entendre.

— Ce sont toujours les meilleurs qui partent les premiers, dit-il d'un ton compassé.

"Et les plus cons qui restent le plus longtemps", ne puis-je m'empêcher de penser.

* * *

En sortant du bureau du doyen, je me dirige vers le bureau d'inscription des victimes du SIC. Il y en a maintenant un peu partout dans les édifices gouvernementaux, les institutions d'enseignement, les sièges sociaux des grandes entreprises.

Le nôtre a été confié à un vieux médecin aux yeux rapprochés comme des yeux de rat, au fond de petites lunettes rondes. Je m'efforce de ne pas voir là un signe de débilité; mais il est difficile de faire autrement quand on découvre soudain qu'on est le plus intelligent de ceux qui restent.

— Que voulez-vous? me demande-t-il.

— Ma dose de Sicalon.

— Pourquoi?

Décidément, ce vieux médecin est complètement bouché.

— Ça ne se voit pas?

Le médecin se lève, fait le tour de son bureau, examine ma tache de plus près.

— Ce n'est pas le SIC, dit-il dédaigneusement.

— Pardon?

— Vous n'auriez pas fait exprès de vous frotter le cou avec quelque chose — du papier de verre, par exemple, ou une corde de chanvre?

— Moi, me frotter le cou? Mais vous êtes malade!

— Non. Et vous non plus. Mais dites donc... vous n'auriez pas acheté un vêtement neuf, récemment?

— J'ai acheté une veste, hier midi.

— Une veste bien fermée au cou, sans doute? Ne cherchez pas plus loin.

Je suis atterré. Qu'est-ce que je vais dire au doyen, à mes étudiants?

— Vous êtes vraiment sûr que je n'ai rien?

— Tout à fait. C'est difficile d'accepter qu'on n'est pas brillant, n'est-ce pas? Il y a même des gens qui viennent me demander si je peux leur injecter le SIC.

— C'est possible? demandé-je en feignant la plus grande désinvolture.

— Bien sûr que non. Ce serait trop facile pour les patrons qui craignent de survivre à leur secrétaire, ou pour les maris incapables de supporter l'idée qu'ils pourraient être inférieurs à leur femme. Mais qu'est-ce que vous avez donc tous à vouloir être intelligents?

Je ne réponds pas.

Le médecin ôte ses lunettes, les essuie, réfléchit un instant.

— Tout cela ne vous fait-il pas penser aux dinosaures?

— Disparus à cause de leur grande taille?

— Oui. On dit que leur grande taille, qui faisait leur force, a aussi causé leur disparition. Et depuis longtemps on croit que l'homme sera détruit par son intelligence. On suppose que ce sera à cause des instruments de destruction qu'il fabrique. Mais peut-être se forme-t-il tout simplement dans notre cerveau des bactéries ou des virus qui combattent la croissance excessive des cellules grises.

— C'est une théorie intéressante.

Je me lève pour prendre congé. Pour l'instant, cette théorie ne m'intéresse nullement.

* * *

Je n'ai rien dit au doyen. Plusieurs fois, je l'ai deviné sur le point de me demander si j'avais le SIC, oui ou non. Mais il n'en a pas trouvé le courage. Après quelques cours, il lui est devenu évident que je ne suis pas malade. Il a renoncé à m'interroger.

Quant à mes étudiants, auxquels j'avais eu l'intelligence de ne rien dire, je n'ai rien à leur expliquer. Ils ont, aussi bêtement que le doyen, constaté que je vis toujours. Et ils ne semblent pas vouloir en savoir davantage.

* * *

Quelqu'un frappe à la porte de mon appartement.

Je vais ouvrir: c'est Lafleur, l'amie de Desjardins.

— Je peux entrer?

— Oui, bien sûr.

Je la fais asseoir dans le meilleur fauteuil de mon salon. Elle regarde autour d'elle avec curiosité, comme si elle ne s'était pas attendue à ce que j'eusse tant de goût dans le choix de mes meubles, tableaux et bibelots.

J'attends qu'elle me dise le but de sa visite. Mais elle se tait. Je me sens forcé de dire quelque chose, n'importe quoi.

— Vous étiez très liée avec Desjardins?

— Pas très. On sortait ensemble pour aller draguer. Mais rarement pour autre chose.

Je suis assis sur le canapé, en coin avec son fauteuil. La pensée qu'elle puisse aller draguer les garçons me la fait paraître tout à coup plus jolie que je ne l'avais d'abord perçue, avec son grand front buté, ses lèvres charmeuses, ses yeux plus noirs que bruns. Pourtant, je lui trouve aussi un air intelligent. D'ailleurs, ne lui ai-je pas toujours donné des notes supérieures à la moyenne?

Je lui offre un verre, et elle accepte un scotch.

— Est-ce que vous avez vous aussi, comme Desjardins, choisi l'aménagement paysager à cause de votre nom?

— Jacinthe Lafleur? Non. Rose disait que c'est plutôt un nom de fleuriste.

— Ah bon.

Il y a un long moment de silence, pendant lequel ni elle ni moi ne disons rien, jusqu'au moment où elle vide le fond de son verre, d'un trait.

— Vous vous demandez sans doute pourquoi je suis venue vous voir?

— Oui.

J'attends. Mais elle se renferme dans son mutisme, jusqu'à ce que je lui verse un deuxième scotch.

— Vous savez ce que disent maintenant les garçons qui draguent dans les bars? Que les imbéciles baisent mieux.

Je souris à la pensée de ces grands garçons hâbleurs, prêts à dire n'importe quelle bêtise pour séduire une fille.

— Et c'est pour ça que vous êtes venue chez moi?

Elle ne se donne pas la peine de répondre. Mais bientôt nous sommes dans mon lit. Son corps jeune et vigoureux, sa chaleur et son désir me poussent à me surpasser.

Elle n'a enlevé que ses chaussures, ses bas et sa culotte, prétextant qu'elle jouit mieux habillée. Et cela m'excite encore plus.

*　*　*

Au matin, je lui offre du café, qu'elle refuse.

— Et puis... les garçons, dans les bars, ils ont raison?

— Non.

Elle a dit cela sans tristesse ni sourire, et je ne sais pas si je dois la prendre au sérieux. Je préfère en rire, mais je soupçonne mon rire de sonner faux.

Devant le miroir de la salle de bains, Jacinthe coiffe ses longs cheveux noirs. Je m'approche d'elle, par derrière, et je la regarde dans la glace. Elle porte une blouse boutonnée jusqu'au cou.

Je pose une main sur le bouton du haut. Elle me laisse faire. Lentement, comme si j'allais la déshabiller pour faire l'amour encore, je défais les trois premiers boutons. Puis, j'écarte le tissu.

— Toi aussi.

Elle pose la brosse, reboutonne sa blouse.

— Je suis désolé, dis-je parce que je ne sais pas quoi dire.

Elle serre les lèvres, prend son sac à main posé près de l'évier et sort.

Je lis le journal en buvant mon café. Dans la colonne quotidienne consacrée au SIC, un médecin prétend que la maladie fait de moins en moins de victimes. Mais peut-être les autorités veulent-elles présenter des nouvelles encourageantes uniquement pour éviter le désordre. À moins que la maladie de l'intelligence ne commence à être à court d'intelligences.

* * *

Ce matin, je suis passé à la quincaillerie acheter du papier de verre.

Et je suis maintenant en train de me frotter la peau, entre le sein droit et la base du cou. Voilà, ça y est. Ça ne saigne pas. Mais ça ressemble beaucoup à la tache de vin du SIC.

Après-demain, je n'aurai qu'à avaler une pleine bouteille d'aspirine.

Tout à coup, j'ai peur qu'on s'aperçoive de ma supercherie.

Mais non, voyons. Comment pourraient-ils s'en rendre compte?

Ce sont tous des imbéciles.

La boule de caoutchouc

Victor-Lévy BEAULIEU

Disons, ce sourire de l'ironie qui mord et qui caresse pour régler le conte entre celui qui le crie et celui qui le lie. Et parce qu'ils sont complices joyeux, les mots morts de l'un s'ajoutent aux mots mobiles de l'autre, faisant venir la giclée mouillante du plaisir.

Victor-Lévy Beaulieu est né à Saint-Paul-de-la-Croix, le 2 septembre 1945. Il fait des études primaires à Saint-Jean-de-Dieu et à Trois-Pistoles et des études secondaires à Montréal-Nord. Par la suite, il sera commis de banque, journaliste-chroniqueur, publicitaire pour une compagnie de théâtre, professeur de littérature, directeur littéraire aux Éditions du Jour. En 1973, il fonde les Éditions de l'Aurore, avec Léandre Bergeron. En 1976, il fonde les Éditions VLB.

Romancier, auteur de théâtre, Victor-Lévy Beaulieu a également écrit pour la radio et la télévision. Récipiendaire du Grand Prix littéraire de la ville de Montréal pour son roman *Les Grands-Pères* en 1972, il a également remporté le Prix du Gouverneur général pour *Don Quichotte de la démanche* en 1975, le Prix France-Canada pour *Monsieur Melville* en 1979, ainsi que les prix Belgique-Canada et Duvernay pour l'ensemble de son oeuvre.

Livres de fiction:

Mémoires d'outre-tonneau, roman, Montréal, Éditions Estérel, 1968.

Race de monde, roman. Montréal, Éditions du Jour, 1969. Coll. "Les Romanciers du Jour".

La Nuitte de Malcolm Hudd. roman. Montréal, Éditions du Jour, 1969. Coll. "Les Romanciers du Jour".

Jos Connaissant, roman. Montréal, Éditions du Jour, 1970. Coll. "Les Romanciers du Jour".

Les Grands-Pères, récit. Montréal, Éditions du Jour, 1971. Coll. "Les romanciers du Jour".

Un Rêve québécois, roman. Montréal, Éditions du Jour, 1972. Coll. "Les Romanciers du Jour".

Oh Miami, Miami, Miami, roman. Montréal, Éditions du Jour, 1973. Coll. "Les Romanciers du Jour".

Don Quichotte de la Démanche, roman. Montréal, L'Aurore, 1974. Coll. "L'Amélanchier", 2.

En attendant Trudot, théâtre. Préface de Jean-Claude Germain. Montréal, L'Aurore, 1974. Coll. "Entre le parvis et le boxon", 1.

Blanche forcée, récit. Montréal-Nord, VLB, 1976.

Ma Corriveau, suivi de *La Sorcellerie en finale sexuée*, théâtre. Montréal, VLB, 1976.

N'évoque plus que le désenchantement de ta ténèbre, mon si pauvre Abel, lamentation. Montréal. VLB, 1976.

Sagamo Job J., cantique. Montréal-Nord, VLB, 1977.

Monsieur Zéro, théâtre. Montréal-Nord, VLB, 1977.

Cérémonial pour l'assassinat d'un ministre, oratorio. Montréal-Nord, VLB, 1978.

Monsieur Melville, roman. Montréal-Nord, 1978.
T. 1: Dans les aveilles de Moby Dick, T. 2: Lorsque souffle Moby Dick, T. 3: L'Après Moby Dick ou *la Souveraine Poésie.*

La Tête de monsieur Ferron ou les Chians, épopée drôlatique. Montréal-Nord, VLB, 1979.

Una, romaman. Montréal-Nord, VLB, 1980.

Satan Belhumeur, roman. Illustrations de Tibo. Montréal-Nord, VLB, 1982.

Moi Pierre Leroy, prophète, martyr et un peu fêlé du chaudron, plagiaire. Montréal-Nord, VLB, 1982.

Discours de Sam, comédie. Montréal-Nord, VLB, 1983.

Je viens d'une vieille famille de conteurs bien que moi-même je n'aie jamais pu narrer quoi que ce soit, incapable de dire les choses comme elles doivent être, avec ce minimum de verdeur et de poésie par lesquelles n'importe quel texte prend son envol et peut atteindre au sublime. Les mots ne sont donc pas mon affaire, quarante années de fonctionnarisme n'ayant fait que m'éloigner toujours davantage d'eux.

Et si je mets fin à mon silence aujourd'hui, c'est tout simplement par amitié pour les miens et, aussi, parce qu'ayant été mis à la retraite, je m'ennuie et tourne en rond, comme quelqu'un qui n'attend plus que la mort. En vous racontant la petite histoire qui suit, je ne voudrais que la déjouer, ne serait-ce que quelques instants. Et tant mieux si je meurs au milieu d'elle!

Ce matin-là donc, Charlemagne Bracq se leva en même temps que la barre du jour. Il n'avait pas dormi de la nuit, tout l'intérieur du corps en démanche, avec les extrémités de ses pieds et de ses mains qui tressautaient dérisoirement. Il enfila sa blouse, son pantalon et son tablier de charpentier et, avant de sortir de la chambre, regarda sa femme qui dormait. La bouche ouverte, elle ronflait, ses mains croisées sur le ventre qu'elle avait gros. Charlemagne Bracq pensa: "Comme une ficelle dans laquelle il y aurait un noeud." Puis il hocha la tête et descendit l'étroit escalier qui menait à la cuisine. Une violente envie de vomir lui vint. Il poussa la porte et, du haut de la galerie, laissa le mauvais de son estomac souiller la folle avoine qui poussait devant la maison. Dans l'étable, une vache meuglait. C'est peut-être le veau qui est arrivé, songea-t-il. Il descendit l'escalier et marcha vers les bâtiments en bougonnant.

C'est que Charlemagne Bracq était inquiet, ce qui ne lui arrivait pas souvent. Sa femme avait déjà mis au monde quinze enfants, pourtant. Et toutes les fois, ils étaient venus sans faire d'histoire et la tête la première, comme il convenait. Alors pourquoi l'angoisse? Charlemagne Bracq n'en savait rien. Mais il ne dormait plus, ne mangeait plus et ne travaillait plus. Depuis trois jours, les portes de sa boutique de cercueils restaient fermées. Il se contentait de regarder les boîtes de sapin par la fenêtre et restait planté là comme un grand nigaud, le souffle court et la tête vide. C'était l'enfant qui s'en venait qui le rendait de même, et il ne savait pas pourquoi.

Charlemagne Bracq poussa la porte de l'étable. La vache meuglait en écartant à petits coups de tête le veau qu'elle venait de vêler, tout noir. Le veau trébuchait, tombait et se relevait. Charlemagne Bracq mit un certain temps avant de comprendre, mais quand il se rendit compte que le veau n'avait qu'une patte de devant, toute son angoisse lui revint et il vomit de nouveau. Quelque chose n'allait pas quelque part, c'était certain. Il sortit de l'étable et revint vers la maison. Le ciel se beurrait, déchiré par de grands éclairs fourchus qui faisaient se rompre en deux les sombres enclumes du ciel. Quelque chose n'allait vraiment pas quelque part, c'était de plus en plus certain. Charlemagne Bracq grimpa quatre à quatre les marches qui menaient à la chambre, anxieux de retrouver le gros ventre de sa femme. Jambes écartées, elle gémissait, les mains ouvertes sous ses seins comme elle faisait tout le temps quand venait le moment d'accoucher. Charlemagne Bracq ferma les yeux pour ne pas voir la petite tête sanglante qui apparaissait déjà, et dont il attendait le pire.

Mais il dut l'attendre longtemps, la tête de l'enfant ne sortant du con avachi que pour y retourner, boudeuse et mécréante. Toute la journée passa ainsi, de sorte que quand le soir vint, Charlemagne Bracq attela sa jument pommelée et alla chercher le docteur Abel Brazeau, dit l'aigle de Pohénégamook, ainsi surbroqué à cause de son prodigieux nez qui prenait tant d'espace dans son visage qu'il n'y restait plus de place pour rien d'autre. Le docteur Brazeau ne mit pas de temps à flairer Madame Charlemagne Bracq. Quand ce fut fait, il pointa son prodigieux nez vers le ciel, martelant ses phrases au même rythme que le tonnerre enragé, et dit:

— Quelle idée de faire encore un enfant à votre femme, elle qui n'est pas loin de la cinquantaine! Les quinze autres avant celui-là qu'elle vous a donnés, et que vous avez rendu dans leurs grosseurs, ne vous suffisaient-ils pas?

Honteux, Charlemagne Bracq baissa la tête. Était-ce sa faute s'il aimait forniquer? Fabriquer des cercueils n'avait rien de drôle et quand il passait toute la journée dans la boutique avec comme la face de la mort toujours devant lui, il ne pouvait rentrer à la maison qu'avec le grand désir de l'oublier. De toute façon, fabriquer des cercueils l'avait toujours fait bander et s'il avait épousé Alexandrine Gosselin, c'est qu'elle était pareille à lui et qu'à n'importe quel moment, elle était toujours d'accord pour une rapide ou une courte fourrette. Elle était maigre peut-être, mais pas là où le ventre perd son nom. Et ce n'était pas parce qu'elle approchait de la cinquantaine qu'on pourrait y changer quelque chose.

— Peut-être bien, dit le docteur Brazeau. Mais il y a ce petit qu'il faut mettre au monde et pour y arriver, ni Madame Charlemagne Bracq ni moi-même n'avons besoin de vous. Alors, allez attendre dehors.

Même si c'était la première fois qu'il n'assistait pas à la naissance de l'un de ses enfants, Charlemagne Bracq sortit de la chambre, laissant le docteur Brazeau seul avec Alexandrine Gosselin. C'était un homme qui n'aimait pas perdre de temps avec une tête d'enfant boudeuse et mécréante, de sorte qu'il sortit tout de suite de son portuna les forceps et se mit à l'ouvrage, son prodigieux nez faisant des ombres bizarres sur les murs. À force de forcer, les forceps eurent raison de la tête d'enfant boudeuse et mécréante, et le reste du corps dut bien suivre. L'enfant n'était peut-être pas beau à voir, son front aplati à cause des forceps, mais il l'avait bien cherché. De toute façon, qu'était-ce donc une tête aplatie par comparaison avec ce que le docteur Brazeau remarqua tout de suite, c'est-à-dire les deux petits pénis que l'enfant portait? À Alexandrine Gosselin toute mortifiée de s'apercevoir qu'elle venait de donner naissance à un monstre, le docteur Brazeau rétorqua:

— Vous savez, on est tous des monstres quand on y pense bien. Alors, qu'on en ait un peu plus ou un peu moins, ce n'est pas ça qui peut faire un grand pli sur la différence.

— Mais Charlemagne? demanda Alexandrine Gosselin.

— Vous n'avez qu'à rien lui dire. Pourquoi faudrait-il qu'il le sache? Nous sommes deux à connaître la vérité. C'est bien assez, non?

— Et l'enfant?

— Ne soyez pas inquiète pour lui: venir au monde avec deux pendrioches au lieu d'une ne peut pas être une vilaine affaire. J'y verrais plutôt le signe que le destin sera généreux envers votre enfant. Peut-être fera-t-il un jour des choses dont on gardera mémoire pour les siècles des siècles.

— Mais les deux... les deux pendrioches, là?

— Ce n'est pas un problème, répondit le docteur Brazeau, dit l'aigle de Pohénégamook. Une petite guerlite, c'est pas la fin du monde à enlever. Je reviendrai demain et lui ferai son affaire.

Ainsi fut dit et ainsi fut fait. Satisfait de son travail et pour s'en récompenser, le docteur Brazeau mit la petite queue coupée dans un bocal rempli de formol et retourna à ses affaires, laissant Alexandrine Gosselin et Charlemagne Bracq s'occuper de rendre le petit Urbain dans ses grosseurs. Inutile d'ajouter que ce ne fut pas une mince affaire: Urbain Bracq poussa tout de travers et comme sans appétit, avec une voix de fausset qu'il devait garder toute sa vie, de même d'ailleurs qu'un indifférence totale pour les choses du sexe, à croire que le docteur Brazeau en l'opérant l'avait privé de la meilleure de ses deux pendrioches. Ce qui explique peut-être qu'il n'était doué pour rien, pas plus pour la boutique de cercueils de son père que pour les travaux de la petite ferme que la famille

68

entretenait parce que les morts jadis plus nombreux que leur nombre mettaient tout à coup bien de la mauvaise volonté à se débarrasser d'eux-mêmes.

Et parce qu'il était la risée de tous, Urbain Bracq n'alla pas à l'école et ne marcha pas non plus au catéchisme. Il passait ses journées assis sous un pommier sauvage derrière la maison, à regarder les eaux dormantes du lac dans lequel, prétendait-on, un monstre à double queue mangeait les petits enfants et les femmes enceintes. Urbain Bracq n'y croyait pas, trop épais pour être seulement capable d'imaginer ce que pouvait bien être un monstre. C'était l'eau qui l'attirait et bien qu'il ne comprenait rien non plus à la fascination qu'elle exerçait sur lui, il voyait déjà le jour où il se battrait contre elle et la vaincrait.

Urbain Bracq avait vingt ans quand son père le mit à la porte. Il avait fini par se lasser de le voir se traîner les pieds autour de la maison en récitant de sa voix de fausset des poésies qu'à défaut de savoir écrire, il composait dans sa tête et apprenait par coeur. Charlemagne Bracq avait dit à sa femme:

— Passe encore qu'il ne sache rien faire de ses dix doigts et qu'il soit incapable de gagner son pain. Mais ça serait au-dessus des limites patientes de n'importe qui que de l'entendre marmonner à journée longue des foleries qui n'ont ni queue ni tête. Qu'il s'en aille donc et que le vaste monde s'occupe de lui.

Partit donc Urbain Bracq, emportant pour tout bagage cette minable valise de carton dans laquelle sa mère avait rangé comme il faut ses hardes, de même que le chapelet en cristal de roche qu'elle tenait de sa propre mère. Pas une seule fois, Urbain Bracq ne se retourna dès qu'il eût passé le seuil de la maison. Il se rendit tout droit à la gare, monta à bord de l'Océan Limité et, le nez collé à la vitre de son compartiment, se contenta de regarder défiler le paysage québécois. Ça ne lui disait rien: il avait vu tant d'arbres et tant de petites montagnes déjà qu'il n'avait rien à faire avec tous ceux et toutes celles que l'Océan Limité laissait derrière lui.

Il ne souriait que quand il voyait la formidable masse d'eau du Saint-Laurent. Voilà tout ce qui l'attirait alors que le train continuait sa route, ne s'arrêtant qu'à Québec et Montréal parce qu'il n'y avait pas moyen de faire autrement.

Il en fut ainsi jusqu'à Springfield où la machine stoppa enfin. Urbain Bracq y avait là un oncle qui consentit à l'héberger en attendant qu'il se trouvât du travail. Dur d'oreille, l'oncle ne remarqua pas la voix de fausset et n'entendit pas grand-chose aux plates poésies qu'ânonnait le bizarre neveu, opinant du bonnet par intervalles réguliers en s'imaginant qu'ainsi lui était fait la chronique de toutes les choses qui s'étaient passées à Pohénégamook depuis qu'il en était parti pour émigrer aux États-Unis.

Urbain Bracq trouva à s'embaucher dans une manufacture de pneus d'automobiles et de bicyclettes. Il y faisait un tel vacarme qu'il pouvait y déclamer tout à son aise ses plates poésies: personne n'y comprenait rien. Urbain Bracq s'ennuyait bien un peu, mais ce n'était ni de Pohénégamook ni de ses parents ni de rien d'autre, ses sentiments n'allant pas jusque-là. C'est l'eau seule qui lui manquait et Springfield en était dépourvue. Sans doute Urbain Bracq n'y serait-il pas resté très longtemps si un événement d'importance n'était pas venu donner un sens à ses plates poésies et à tout ce qui, depuis son enfance, avait occupé son esprit.

Cela arriva par une belle journée de juillet, quand Urbain Bracq se joignit à la famille de son oncle pour se rendre aux chutes du Niagara. Face aux trombes d'eau qu'il regardait comme si tout le sens de sa vie y avait été, Urbain Bracq comprit que le rêve lui était enfin révélé. Le poème qu'il composa sur le belvédère alors que, pareil à une éponge, il se laissait mouiller par l'eau frimasseuse, le disait bien:

> La matinée terminée, le moment est venu.
> La foule assemblée, la cataracte attend.
> Tous sont venus pour assister à l'exploit d'Urbain.
> Les eaux écumantes tonnent et disent:
> "Étranger, tente une chose moins dangereuse!"

Mais ma tête chavire sous un rêve glorieux,
Et la peur n'existe pas, et je n'ai pas de doute:
Je vois un avenir brillant m'apporter enfin la joie.

Quand de retour à Springfield, Urbain Bracq parla de son projet à son oncle, ce dernier se contenta de hausser les épaules. Il n'avait jamais rien compris aux plates poésies de son étrange neveu, et se persuada facilement de continuer à n'y rien entendre. Quelle idée, tout de même! Sauter les chutes du Niagara dans une boule de caoutchouc, il n'y avait bien qu'Urbain Bracq pour imaginer pareille folerie! Et comment croyait-il y arriver? Urbain Bracq ne le savait pas encore mais en cherchant bien, il trouverait. En fait, il mit six mois à imaginer la solution: une grosse et simple boule de caoutchouc dans laquelle il comptait bien se jeter du haut des chutes du Niagara. À son oncle, il expliqua la chose en ces termes:

— Pareille à un immense pneu de camion, ma boule sera faite d'une charpente d'acier recouverte à l'extérieur et à l'intérieur par six épaisseurs de caoutchouc. J'y ajouterai trente-deux chambres à air et dans chacune d'elle il y aura trente-cinq livres d'oxygène. Il y aura aussi un tube qui ira de l'intérieur à l'extérieur pour la prise d'air, et qui se fermera automatiquement. Au fond de la boule, je mettrai pour cent cinquante livres de métal. Comme je pèse moi-même cent cinq livres, cela devrait suffire pour empêcher la boule de se renverser. Quelques lampes de poche et un couvercle qui se referme par en dedans, et voilà tout ce dont j'ai besoin pour sauter les chutes du Niagara.

L'oncle hocha la tête: qu'était-ce donc que tout cela sinon le dernier plat poème sorti tout droit du chaudron, sûrement fêlé, de son bizarre neveu? Il ne fallait donc pas s'en occuper et attendre bien calmement qu'un autre poème prît sa place pour le détrôner.

Satisfait de lui, l'oncle cracha sur le plancher et passa à autre chose. Urbain Bracq ne l'imita pas toutefois, tout à son idée fixe, y trouvant l'énergie qui lui avait jusqu'alors fait défaut. Dans la manufacture de pneus d'automobiles et de bicyclettes, il besogna comme un nègre afin d'amasser le capital nécessaire à la fabrication de sa fameuse boule de caoutchouc. Quand il eut enfin tous les dollars qu'il fallait, il partit pour Akron et, dans une usine spécialisée dans l'armement de guerre, surveilla la confection de son rêve. Tout marcha comme il l'avait prévu et, le 3 juillet 1928, les ouvriers roulèrent l'imposante boule de caoutchouc à l'extérieur de l'usine où l'attendaient les journalistes alertés et Urbain Bracq vêtu pour la circonstance comme un gentleman anglais. On mit la boule dans un camion décoré de banderoles et, sous les éclairs des appareils photographiques, Urbain Bracq récita le nouveau poème que dans la nuit il avait composé à la demande même des journalistes;

Chutes et chutes et chutes du grand Niagara!
Et montagnes des eaux écumantes!
Là sur les hauteurs se tiendra Urbain Bracq!
Il sautera dans la chute turbulente,
Jusqu'aux traîtres rochers en bas,
Tout seul dans sa boule de caoutchouc.
Survivra-t-il? Oh! survivra-t-il?
Bien sûr, puisque la renommée toute grande
Doit couronner une telle et belle audace.
Ah! Chutes et chutes et chutes du grand Niagara!

Le poème eut un beau succès, surtout à Cleveland où, pour dépoussiérer la boule de caoutchouc, on s'arrêta, étonnés de l'enthousiasme de la foule: Urbain Bracq y fut accueilli comme un héros aux sons d'une fanfare et sous une pluie de fleurs qui tomba sur lui et sa boule de caoutchouc du haut d'un viaduc. La presse à sensation avait flairé la bonne affaire et ne lâchait plus. Et même si l'oncle eût préféré continuer à faire le sourd, il dut bien entrer dans la danse, se faisant mener à Niagara Falls, où, bien en vain, il tenta de convaincre son neveu d'y laisser là son rêve et de se mettre à la composition de poèmes moins dangereux. En désespoir de cause, l'oncle alerta Pohénégamook: il ne voulait pas avoir la mort de son neveu sur la conscience. Au lieu de lui répondre,

Alexandrine Gosselin, Charlemagne Bracq et le docteur Abel Brazeau, dit l'aigle de Pohénégamook, montèrent à bord de l'Océan Limité et, la veille du jour prévu pour l'exploit d'Urbain Bracq, débarquèrent à Niagara Falls. Charlemagne Bracq n'y alla pas par quatre chemins: il fit venir son fils à l'hôtel et lui dit que s'il l'avait mis à la porte, il ne tenait pas plus que cela à le voir se suicider. Urbain Bracq ne répondant rien, le père sortit un canif de sa poche, défit la boucle de sa ceinture, laissant son pantalon lui tomber sur les chevilles. Sur sa cuisse gauche, un petit paquet se trouvait, bien protégé de lanières de cuir. Avec son canif, Charlemagne Bracq coupa les lanières, prit le petit paquet et l'offrit à son fils:

— Il y a là-dedans cinq mille piastres que ta mère et moi avons économisées. C'est pour toi en autant que tu ne sautes pas les chutes du Niagara dans ta boule de caoutchouc.

— Faites ce que vous voulez avec l'argent, répondit de sa voix de fausset Urbain Bracq. Parce que si j'ai décidé de sauter, c'est que je vais sauter. Pour le cas où, vous pouvez peut-être garder cinq piastres pour me faire enterrer à Pohénégamook.

Et grand seigneur du haut de ses cinq pieds six pouces, il sortit de la chambre d'hôtel alors que son père se reculottait et bougonnait:

— Même avant qu'il vienne au monde, je savais qu'il y avait rien de bon à attendre de lui.

Alexandrine Gosselin vint pour en ajouter mais le regard courroucé que lui jeta le docteur Abel Brazeau, dit l'aigle de Pohénégamook, lui fit reprendre son trou. Ce n'était pas le temps de parler des deux queues et encore moins de celle qu'il avait coupée et que dans son portuna, en homme précautionneux, il avait apportée avec lui. Aussi dit-il:

— Souvenez-vous, Madame Bracq. En vous aidant à mettre au monde votre fils, ne vous avais-je pas prédit qu'il accomplirait un jour de grandes choses?

— Je ne vois pas ce qu'il y a de grand à vouloir sauter les chutes du Niagara dans une boule de caoutchouc! bougonna

Charlemagne Bracq. Et je vais faire tout ce que je peux pour l'empêcher.

— On a besoin de héros, rétorqua le docteur Brazeau. Et quand on en a besoin autant que nous, ne les arrête pas qui voudrait.

— C'est ce qu'on va voir! bougonna encore Charlemagne Bracq.

Et il sortit de la chambre d'hôtel, bien décidé à faire en sorte que l'irréparable n'arrivât pas. Le docteur Brazeau resta avec Alexandrine Gosselin, à boire du gros gin chaud aromatisé de sirop d'érable. On n'en était encore qu'au petit matin mais il n'y avait pas d'heure pour les braves et le docteur Brazeau était de ce nombre, son prodigieux nez ayant besoin d'alcool pour se gonfler de grosses veinules pourpres et se mettre à flairer le vent du bon bord. La pinte de gros gin à moitié bue, il se leva de son fauteuil et invita Alexandrine Gosselin à le suivre. Dans le frêle esquif transportant sa boule de caoutchouc, Urbain Bracq devait glisser déjà vers les chutes du Niagara.

Le docteur Brazeau ne se trompait pas. Charlemagne Bracq avait eu beau demander à la police qu'on arrêtât son fils pour tentative de suicide, le shérif de Niagara Falls ne s'était pas laissé faire: la boule de caoutchouc avait attiré les curieux et le commerce marchait bien, de sorte que ce n'était pas la mort possible d'un illuminé qui pouvait le faire changer d'idée.

Alexandrine Gosselin retrouva son mari qui, se retenant à la rampe menant au belvédère, vomissait toute son inutilité. Rouge comme une tomate, il en voulait à mort à son fils. Il s'essuya la bouche avec le mouchoir d'Alexandrine Gosselin puis, lui prenant la main, il dit:

— Qu'il se tue si ça lui chante, mais moi je ne serai pas là pour le voir. On reprend le train pour Pohénégamook.

La bonne femme eut beau protester, Charlemagne Bracq ne voulut rien entendre. Mais le docteur Brazeau refusa de partir avec eux. De toute façon, on aurait besoin de lui quand, la boule de caoutchouc entraînée dans le précipice, il faudrait courir après pour en extraire Urbain Bracq qui y serait alors peut-être plus proche de la mort que de la vie. Le docteur Brazeau accompagna donc le shérif de Niagara Falls jusqu'au pont Honeymoon où une embarcation l'attendait. Son portuna entre les jambes, il se munit de lunettes d'approche et regarda la boule de caoutchouc qu'on venait de lancer dans le courant avec Urbain Bracq dedans. À quoi devait-il penser, pour un temps ballotté assez douillettement, avant les chutes de deux cents pieds? En fait, Urbain Bracq ne pensait à rien. Il n'en avait pas le temps. Il y eut d'abord un bruit terrible qui lui déchira les tympans, puis il sentit la boule de caoutchouc tourner comme une toupie alors que toutes les lumières des lampes de poche s'éteignaient. Tout de suite après, l'eau commençait à pénétrer par le tube devant assurer l'arrivée de l'oxygène. Mais resté aussi calme que s'il avait été devant le lac aux eaux tranquilles de Pohénégamook, Urbain Bracq se mit à tâter les parois de sa boule de caoutchouc, espérant qu'une fois le fond atteint, elle se mettrait enfin à remonter. C'est alors qu'il y eut ce choc et qu'en heurtant le plancher de métal mal recouvert, il perdit connaissance.

Quand il revint à lui, la boule de caoutchouc tournait encore. Puis il entendit comme le bruit d'une chaîne qui raclait l'extérieur de la boule en même temps que des voix criaient:

— Tirez, les gars! Tirez plus fort, voyons! Il est peut-être mort là-dedans!

Urbain Bracq souriait. Même quand on lui demanda s'il était vivant, il ne répondit pas, trop occupé à composer dans sa tête le poème par lequel il saluerait la victoire qu'il venait de remporter sur les chutes du Niagara. En fait, il ne sortit de son silence que lorsqu'il s'aperçut qu'on était en train de couper la boule de caoutchouc avec un long couteau. Alors il dit:

— Faites attention, les gars! Vous êtes en train de me trancher le lard du dos!

Et il sortit enfin de sa boule de caoutchouc, en pleine lumière près du pont Honeymoon, un peu de sang lui coulant du front. La foule se pressait autour de lui, on le photo-

graphiait de tous bords et de tous côtés et, dès que le docteur
Brazeau lui eût fait ce pansement à la tête, il exigea le silence
et, de sa voix de fausset, récita:

> *Dans sa boule de caoutchouc toute noire*
> *Urbain Bracq a vaincu le terrible Niagara.*
> *Il l'a fait comme fait un enfant*
> *Quand il joue à la marelle dans sa cour.*
> *Maintenant, Urbain Bracq va être riche*
> *Et conquérir les Madeira Falls*
> *Hautes de plus de mille pieds et si sauvages*
> *Que même les oiseaux aux ailes blanches*
> *Se tiennent loin d'elles, loin d'elles!*

Au plat poème d'Urbain Bracq, le docteur Brazeau
applaudit comme les autres. Mais s'il trouvait que la poésie du
héros de Pohénégamook s'améliorait, il n'en pensait pas
moins que cela n'allait pas mieux du côté du rêve et qu'il y
avait peut-être des limites à tenter le destin. Aussi
emmena-t-il Urbain Bracq à sa chambre d'hôtel et pré-
para-t-il deux gros gins chauds aromatisés de sirop d'érable.
Urbain Bracq y trempa les lèvres, mais n'alla pas plus avant.
Il ne pensait plus qu'aux Madeira Falls, et c'était bien suffisant
pour l'enivrer. Déçu, le docteur Brazeau avala son verre, puis
celui d'Urbain Bracq. Son prodigieux nez retrouvé, il flaira le
vent et le trouva rempli d'appréhension. Mais il garda tout
pour lui, se contentant de demander:

— Et ces Madeira Falls, de quoi s'agit-il exactement?

— Ce sont les plus hautes chutes du monde, répondit de
sa voix de fausset Urbain Bracq. C'est au coeur du Brésil et
c'est là que je vais aller maintenant.

— Mais pourquoi? rétorqua le docteur Brazeau. Avoir
sauté les chutes du Niagara dans une boule de caoutchouc et
n'en être pas mort, n'est-ce pas assez pour la mémoire des
siècles et des siècles?

— Peut-être pour les autres, répondit Urbain Bracq.
Mais pas pour moi. Le Niagara, c'était un petit rêve. Et même

pour la mémoire des siècles et des siècles, il m'en faut maintenant un plus grand.

Le docteur Brazeau ne trouva rien à ajouter. Il cala ce qui restait de gros gin dans la bouteille puis, en titubant, il marcha vers la garde-robe où il avait rangé son portuna qu'il prit et ouvrit, en retirant une petite boîte noire qu'il offrit à Urbain Bracq, disant:

— Fais ce que tu dois faire, mon garçon. Mais ce qu'il y a dans cette petite boîte noire t'appartient et ça serait bon que même dans le Brésil lointain, tu l'apportes avec toi.

— Si vous voulez, dit Urbain Bracq. Il y a de la place pour beaucoup de choses dans le rêve d'eau.

Et la petite boîte noir dans la minable valise de carton, il sortit de la chambre d'hôtel et marcha tout droit devant lui, jusqu'à la gare de Niagara Falls où il monta à bord du train pour le Brésil. Le docteur Brazeau sortit sur le balcon qu'il y avait devant sa chambre d'hôtel et le regarda s'en aller, les yeux brouillés de larmes. Puis il se fit apporter une bouteille de gros gin et un plein gallon de sirop d'érable, déterminé à se soûler comme il ne l'avait encore jamais fait. Il fit si bien que deux jours durant, on le décompta comme mort, après quoi, revenu à lui, il ramassa son portuna et retourna à Pohénégamook, tout le passé du rêve derrière lui. Il ne fut donc pas étonné d'apprendre qu'Alexandrine Gosselin et Charlemagne Bracq avaient trouvé la mort dans un incendie qui avait ravagé la maison et la boutique de cercueils. L'hiver s'en venait et le docteur Brazeau, son prodigieux nez lui faisant mal, entra en hibernie, ne retrouvant un semblant d'énergie qu'avec le printemps. Il écrivit au gouvernement du Brésil, désireux de savoir avant de mourir lui-même comment s'était comportée, à Madeira Falls, la mémoire des siècles et des siècles. Il reçut une courte lettre en portugais à laquelle il ne comprit rien évidemment, et que sa famille retrouva dans ses papiers après sa mort. Ce qu'elle disait était simple: Urbain Bracq s'était bel et bien rendu à Madeira Falls, mais comme le gouvernement du Brésil ne l'avait pas autorisé à sauter les chutes dans une boule de caoutchouc, il avait mis sa minable valise de carton sur un rocher, s'était dévêtu et, flambant nu, s'était jeté du haut des Madeira Falls. On avait fait l'inventaire de la minable valise de carton pour n'y trouver qu'un chapelet en cristal de roche et une petite boîte noire qu'on avait ouverte et dans laquelle on avait trouvé un minuscule sexe baignant dans du formol. La lettre se terminait sur une interrogation: quel était le sens de tout cela?

Mais pas plus à Madeira Falls qu'à Pohénégamook, personne ne pouvait plus apporter de réponse à cette question tant il est vrai qu'il en est des rêves comme des pays puisque la mémoire des siècles et des siècles ne saurait remonter jusque-là même quand on est comme moi d'une vieille famille de conteurs. Et c'est pourquoi, dans ma retraite commençante, j'ai pensé faire le maladroit racontement de cette petite histoire et, en fait, tout ce que j'y ai oublié, ce me semble, c'est ce qui advint de la boule de caoutchouc d'Urbain Bracq. Après avoir pendant de longues années occupé une belle place au musée de Niagara Falls, elle fut finalement mise en pièces et jetée aux ordures: plus personne ne savait ce qu'elle faisait là.

Des roses pour Candy Bar

André BELLEAU

L'humour, c'est une humeur. Quand elle nous arrive, on se met à se redire la vie sur un mode plus vif, et allégé, comme si après une cure d'amaigrissement, on avait perdu plusieurs kilos de ressentiment, d'idées fixes, de sérieux unilatéral, et qu'on retrouvait, tout d'un coup, le goût de danser... L'humour, c'est un discours qui danse sur la cendre.

André Belleau a publié une dizaine de nouvelles dans des revues (*Écrits du Canada français, Liberté*) ainsi qu'un grand nombre d'essais critiques dans *Études françaises, Liberté, Voix et Images, Europe*, etc. En 1980, il a publié un ouvrage, *Le Romancier fictif*, consacré au personnage de l'écrivain dans le roman québécois depuis 1940. Il a donné aussi un nombre considérable de textes dramatiques, littéraires et scientifiques à la société Radio-Canada dont les séries *La Cybernétique et nous* et *Regards neufs sur la critique*. Après avoir été producteur exécutif à l'Office national du film, il a opté en 1969 pour l'enseignement et il est présentement professeur au département des études littéraires de l'UQAM. André Belleau vient de publier, aux éditions Primeur, un recueil de ses articles intitulé *Y a-t-il un intellectuel dans la salle?*

Livre de fiction:

Dix contes et nouvelles fantastiques. En collaboration. Montréal. Les Quinze, éditeur, 1983.

Il y avait à cette époque un magasin Steinberg rue Mont-Royal. Je ne me souviens pas très bien s'il était situé entre la rue Papineau et la rue De Lorimier ou plutôt à l'est de la rue De Lorimier. Ce dont je me souviens, en revanche, c'est que j'y gagnais quatre dollars chaque fin de semaine comme rappeure, pas un sou de plus, pas un sou de moins. Sorte d'appendice postérieur de la caissière au bout du comptoir où les clients déversaient leurs paniers, tout l'art du rappeure consistait à emballer les provisions avec une prestesse au moins égale à celle des doigts de la caissière glissant sur les touches de sa machine. Sinon, le flot des denrées ralentissait, et des bouchons pouvaient se former dont la seule pensée me faisait frémir. Parfois le pauvre rappeure, débordé et affolé, finissait par écraser les marshmallows sous les boîtes de bine ou bien il fourrait la douzaine d'épingles à linge dans un sac dix fois trop grand. Cela m'arrivait beaucoup plus souvent qu'à mon tour. J'étais gauche, empêtré, et d'une timidité si inquiète envers les filles que la moindre exclamation irritée chez la caissière suffisait à me paralyser. *"Qu'est-ce que j'ai fait au bon Dieu pour être encore prise avec celui-là?"* Je me mettais à rougir, à tripoter les sacs et les cartons. Le gérant s'amenait. C'était un petit homme nerveux. Avec ses tics et sa moustache noire, il me rappelait un personnage du cinéma muet, quelque chose comme "Max, chef de rayon". *"Ça va dans les grandes écoles,* proclamait-il en prenant tout le monde à témoin, *ça va dans les grandes écoles et ça sait même pas emballer!"*

81

Pour lui, les grandes écoles, ce n'était pas Polytechnique ou les HEC, c'était plus simplement le collège classique. Le mien n'était pourtant qu'une pauvre boîte à rattrapage nommée Marie-Médiatrice. Il recueïllait les distraits dans mon genre qui avaient oublié de descendre du petit train de l'école en sixième et qui s'étaient laissé mener, à moitié endormis, jusque passé l'école primaire supérieure après la douzième. Au temps dont je parle, je devais être en rhéto. En tout cas, le petit gérant me tenait à l'oeil. Un jour, histoire de faire rire à mes dépens — j'étais exagérément long et maigre, affublé de grosses lunettes d'écaille, un modèle allongé de Jerry Lewis —, il m'avait demandé avec un clin d'oeil au public:

"*Qu'est-ce que tu vas faire quand tu seras grand?*
— Je vais vous chier sur la tête."

Malgré ma superlative timidité, je restais un enfant du plateau Mont-Royal, nourri au langage vivant de la rue. Il aurait fort bien pu après cela me flanquer à la porte. Il me considéra longuement puis fit mine de s'intéresser à une enregistreuse qui fonctionnait mal. Grandeur et misère du rappeure!

Mais la situation la plus délicate se présentait toujours le samedi soir, trente ou quarante-cinq minutes avant la fermeture, au moment où les clients se hâtaient pour passer à la caisse. Tout à coup je décrochais, les yeux dans le vague, les mains immobilisées sur un sac à demi plein. Ce n'était pas tout à fait l'extase. J'exultais plutôt. Je me redisais: c'est presque terminé, je touche mes quatre dollars, en me dépêchant, je vais arriver à temps pour le show de dix heures. Ô Candy Bar, c'est toi la danseuse ce soir! Candy Bar!... "*Maudit grand zarzais, regarde ce que tu as fais encore.*" Réveil brutal. La caissière s'est arrêtée. Les gens me fixent. Je contemple, ahuri, l'entassement des victuailles en équilibre instable. Des tomates roulent par terre. En me baissant, j'accroche une boîte d'oeufs qui les rejoint avec un doux crissement d'écailles brisées. Mais en réalité, je n'y suis plus. Je suis déjà là-bas, au dernier rang de la salle. L'orchestre a commencé de jouer *Harlem Nocturne*. Une jambe de femme se balance par la fente du rideau, sur le fond de velours rouge. Une longue cuisse blanche. Puis jaillit un bras ganté de noir. Et c'est elle à la fin, Vénus blonde née de la scène, en longue robe du soir fendue sur le côté. La chair des femmes occupe une grande place dans mes rêves.

Je suis seul à savoir, au magasin Steinberg de la rue Mont-Royal, que Candy Bar est la plus adorable, la plus succulente, la plus perverse de toutes les strip-teaseuses qui, dans ce qu'on appelle le circuit du burlesque, s'arrêtent à intervalles plus ou moins réguliers au théâtre Roxy.

Le Roxy (était-ce plutôt le Roxy Follies ou le Roxy Burlesque?) se trouvait du côté est du boulevard Saint-Laurent au sud de la rue Sainte-Catherine. Il a disparu avec l'élargissement du boulevard Dorchester. L'entrée, les après-midi de semaine, coûtait trente-quatre cennes. Elle donnait droit à deux films, un sac de pop-corn, et un spectacle d'une heure et demi. Variétés? Vaudeville? Ou ce qu'on appelait en Amérique du Nord le burlesque? Il me semble aujourd'hui qu'il devait s'agir de la forme la plus régulière du burlesque. Pour une bonne part, la joie du public venait de ce que dans ce genre de\spectacle, la structure est rigoureusement invariable et l'enchaînement connu d'avance. Quelque chose comme ceci:

———————

— Ouverture musicale: *Paris sera toujours Paris*.

— L'animateur présentateur (qu'on nommait maître de cérémonie) entre en scène en courant et déclare qu'il vient juste de tomber par hasard, à la porte du théâtre, sur un type qui lui a raconté que... Histoires comiques.

— Chanteuse sentimentale.

— Sketch.

— Jongleur.

— Sketch.

— Roulement de batterie. Fortissimi du petit orchestre. Présentation solennelle de la strip-teaseuse, "star of the show".

— La strip-teaseuse (*Saint-Louis Blues*, *Harlem Nocturne*, *A Pretty Girl Is Like a Melody*).
ENTR'ACTE
— Chanteur comique.
— Sketch.
— Ventriloque.
— Sketch.
— Présentation de la strip-teaseuse (même rituel).
— La strip-teaseuse (même musique).

Le génie de cette forme, combien de fois l'ai-je éprouvé, assis à l'extrémité de mon fauteuil, tendu vers l'imminence grandissante de la révélation finale, c'était l'attente, l'attente diffuse dans tous les numéros du programme et qui conférait au plus médiocre d'entre eux une sorte d'intensité anticipatoire. Comme dans un texte, la position qu'occupait la danseuse à la fin de chaque partie déterminait par attraction notre lecture et notre plaisir. Aussi, lorsque soudainement, la rampe s'allumait, le tambour se mettait à rouler, nous savions que le grand moment était arrivé. *Lynn O'Neil*, une blonde à la Boucher mais en plus effilé, et qui avait des fesses absolument divines. *Peaches*, aux seins lourds, aux hanches fortes, auréolée d'une obscénité particulière tenant de la matrone et du bordel. *Bubble O'Dell*, petite brune pâlotte qui ondulait avec sur le sexe un gros coeur brodé naïvement de lettres rouges: "My Heart belongs to Daddy." *Winnie Garrett*, une grande et altière rousse dont les lentes girations du bassin accompagnées de saccades et de miaulements réussissaient à faire déraper le pianiste. *Lucia Parks*. *Irma the Body*. Tant d'autres. Vous m'aurez troublé, fasciné, envahi. Mais je ne vous ai jamais admiré que dans un éloignement qui faisait alors mon malheur et dont j'ignorais encore qu'il fût indispensable à l'enchantement. Je me suis toujours trouvé aux derniers rangs, trop démuni pour être à même de glisser dans la patte de l'espèce de gorille qui contrôlait l'accès à la salle le vingt-cinq cennes qui m'aurait valu d'être placé à trois pieds de la scène, les jambes confortablement allongées, d'où l'on pouvait espérer voir l'éclair du duvet blond de *Candy Bar* lorsqu'à la fin de son show, elle écartait légèrement le minuscule carré d'étoffe pailletée qui lui dérobait le sexe. Bénédiction! Elle restait ma préférée. Elle avait la grâce d'une jeune fille et comme une retenue perverse qui me faisait imaginer le pire, c'est-à-dire le meilleur. Une manière de se passer le bout de la langue sur les lèvres, de se caresser doucement, de retirer ses bas. La vérité, c'est que j'étais bien près d'en être tombé amoureux fou. Je ne pensais qu'à elle. Une idée fixe.

C'est du moins ce que je racontais car déjà, je me faisais un récit de ces événements. Est-il possible que je n'aie pas vu la misère flétrie de ces spectacles et de ce lieu? Disons que je les vivais sur un autre mode et que s'il importait peu que je m'en avisasse, c'est parce qu'il existait un autre pôle à ma vie. Je fréquentais au même moment une jeune fille d'Ahuntsic nommée Monique à la chlorose attachante, aux traits délicats, sincèrement encline aux belles choses. Elle avait souvent des pensées élevées. Elle habitait près du boulevard Gouin une avenue tranquille aux belles maisons en rocaille sous de grands arbres, et tout en elle et dans le quartier me paraissait plus harmonieux et plus élevé que la rue Fabre où j'avais grandi. Elle me recevait dans un petit salon sur le devant et nous parlions de poésie et de musique. Nous apprenions l'allemand ensemble. Parfois, elle se mettait à un petit piano droit et jouait — plutôt mollement selon mon goût — des pièces de Schumann et de Brahms. Elle n'avait pas les doigts pour Brahms. En tout, j'étais sincère absolument. Cela aurait pu durer longtemps. Nous étions presque fiancés. Mais je demeurais un garçon plein de santé et le bas et le haut de la ville commencèrent à interférer. Je cherchais le moyen d'assouvir sur le sol un peu ingrat d'Ahuntsic les désirs durables inspirés par Candy Bar à l'autre bout de Montréal, désirs d'ailleurs accrus par Monique elle-même. Mais les indispensables travaux d'approche s'avéraient plein d'embûches. Comment lui caresser la fesse tandis que nous lisions ensemble la "Présentation de la Beauce à Notre-Dame de Chartres" de Péguy? C'eût été, bien plus qu'une grossière familiarité, une impardonnable faute d'esthétique. Comment glisser ma main dans l'échancrure de son chemisier quand bien droite au piano, ses petits seins pointant, elle m'aspergeait des accords mystiques de "La Cathédrale engloutie"? Questions redoutables, questions délicates sollicitant le doigté d'un ancien jésuite. Je subodorais à certains moments que Monique n'était peut-être au fond qu'un double de Candy Bar, l'ingénue secrètement perverse qui alternait dans ma vie avec la perverse faussement ingénue.

Je la quittais tôt le soir sur un chaste baiser. Mais au lieu de rentrer rue Fabre comme aurait fait tout garçon sérieux fréquentant une jeune fille d'Ahuntsic, je m'empressais de descendre le plus vite possible vers le bas de la ville. Je dérivais jusqu'à l'aube de boîte en boîte, de bar en bar, un livre sous le bras, mêlé à la foule des noctambules, des guidounes, des musiciens, heureux, euphorique même, comme soulevé par une vaste promesse indéfinie. Ô merveille! Il y avait à cette époque des cabarets, des restaurants qui ne fermaient jamais, vraiment j-a-m-a-i-s. Impossible d'atteindre le bout de la nuit car on ne pouvait être sûr que les quelques mesures de jazz venues du fond d'une rue étaient les *dernières*. Ou que *toutes* les filles étaient parties se coucher.

Je menais une double vie. Un peu comme le type qui possède une résidence secondaire. Toujours heureux de revenir. Toujours content de partir.

N'allez donc surtout pas croire que j'étais mécontent. Cette dualité me ravissait. Je n'éprouvais aucune nostalgie de l'unité. Le diable devait bien y être pour quelque chose. Son nom est Légion. Mais en attendant plus de lumière là-dessus, je m'égaillais joyeusement dans le multiple. Ou bien je me comparais à un chien de chasse lâché dans la ville, flairant et recherchant les odeurs illicites dans la masse des sensations, apte à suivre n'importe laquelle des innombrables pistes sans risque de se perdre.

Certes, ma situation n'allait pas sans quelques petites difficultés personnelles. Je me crossais beaucoup trop souvent pour le nombre de fois qu'il m'arrivait de tomber sur une fille consentante. Le temps n'était pas aussi idoine que maintenant aux ébats du virolet. Les images de Candy Bar, la variété d'attendrissement dans lequel me plongeait la pensée de Monique suffisaient la plupart du temps à m'occuper. J'étais un désirant. J'imagine que le lieu le plus *nécessaire* devait se trouver chez mes parents, rue Fabre, à mi-chemin entre Ahuntsic et la rue Sainte-Catherine. C'est ici que j'écoutais, au bord des larmes, le souffle du vent dans les bruyères de Marie Noël, les modulations des mélodies de Gabriel Fauré, trésors jalousement cachés.

Mes deux vies, la publique et la secrète, auraient peut-être duré encore quelques années si je n'avais pas perdu mon job chez Steinberg. Rappeure trop longtemps toléré, je fus vidé d'un coup pour avoir dit à la caissière qu'elle pouvait toujours fourrer dans son gros cul — et qu'il y aurait encore de la place — le panier de provisions que je n'emballais pas assez vite à son gré. Je n'avais plus les moyens d'aller au Roxy. Et étrangement, je me mis à espacer mes apparitions à Ahuntsic. Mais la privation n'aidait pas. Les images des postures si ensorceleuses de Candy Bar, au lieu de s'estomper, s'avivaient davantage si cela était possible. Elles devenaient lancinantes, alourdies de chagrin. Elles me tourmentaient. J'en oubliais le reste, les sketches improvisés où, derniers vestiges du comique carnavalesque, le mélodrame pur et la basse vulgarité se mêlaient sans aucune transition, à mon grand étonnement. Harry White, Eddie Lloyd, Sharon Roberts, quelqu'un se souviendrait-il encore de vos noms? Et du bilinguisme saugrenu de Freddie Lewis à l'instant tant attendu: *"And now ladies and gentlemen, the gorgeous Claudette, Claudette la gorgeuse"*...

Plus tard, je verrais un autre aspect des choses et je referais en pensée le "circuit" des danseuses de burlesque, de l'Hudson Theatre de Union City au Minsky et à l'Empire de Newark — le maire La Guardia avait fait interdire le burlesque à New York — et de là au Casino et au Old Howard de Boston (fréquenté par les étudiants de Harvard), au Royal de Buffalo, au Roxy de Montréal, pour finir avec le Victory à

Toronto, lequel attirait, disait-on, un public congelé au point où il désespérait les plus expérimentées. Bravement, elles repassaient par les mêmes étapes, le même calvaire, d'année en année, le plus souvent en autobus par des trajets interminables, avec des arrêts à des gares lugubres, obligées de loger dans des hôtels sordides. Et j'éprouvais pour elles une admiration mêlée de pitié.

Mais au moment dont il s'agit, le souvenir du visage angélique de Candy Bar était d'autant plus déchirant que je n'arrivais pas à le séparer de ses gestes lascifs. Il y avait là quelque chose de trop énorme pour ma jeunesse et ma naïveté. Le jour, j'étais à la torture. La nuit, je suffoquais. C'est alors que le désir me vint d'aller la voir une dernière fois. Dieu! si je pouvais m'approcher d'elle, lui parler, la toucher même, oui, une seule fois! Mais j'étais sans ressources. J'attendis donc son retour à Montréal et le jour venu, j'allai vendre mes plus beaux livres au libraire Ménard. Il occupait l'emplacement actuel de l'encadreur Morency, rue Saint-Denis. Il me donna soixante-quinze cennes pour mon grand Victor Hugo sur deux colonnes publié par Valiquette à Montréal pendant la guerre... Je réussis à rassembler trois dollars. Mis à part les trente-quatre cennes du billet d'entrée, il me restait à peine assez d'argent pour acheter douze roses. Je serais encore éloigné aux derniers rangs! J'entrai dans la salle avec mes fleurs et exactement six cennes en poche. Je parvenais mal à fixer mon attention sur la scène et il me sembla que Candy Bar évoluait ce jour-là derrière un brouillard. Après sa dernière apparition, qui marquait la fin du spectacle, je fonçai sur la scène, sautai l'escalier côté cour, et je fis irruption dans les coulisses mon bouquet à la main, avec la résolution encore tremblante des grands timides. Il n'y avait pas de loges. C'étaient des sortes de boxes bas, sans portes, ouverts à tout venant. Une femme d'un certain âge, vêtue d'un peignoir, était assise sur un escabeau à l'entrée de l'un d'eux. On aurait dit qu'elle regardait passer les gens. Elle m'apostropha: *"What the fucking hell are you looking for."* Elle avait une voix de rogomme, les traits durs, de petits yeux gris hostiles. Une cigarette lui pendait du coin de la bouche. Je me mis à bredouiller. Puis j'eus un choc, les roses me glissèrent des mains, tombèrent au pied du tabouret. C'était elle. C'était Candy Bar. Je l'avais malgré moi reconnue. Je voulus dire quelque chose mais ma voix s'étrangla. Je ne le savais pas encore, mais je venais de recevoir ma première leçon: que seule l'illusion compte et qu'il convient d'apprendre à mentir pour plus de vérité. Je m'enfuis éperdu par la sortie de la rue Sainte-Elizabeth et je courus longtemps en pleurant comme un bienheureux.

Le Genou de Gros-Menton

André CARPENTIER

Dans ce monde tiraillé, tout écartillé, en équilibre instable au-dessus du redoutable, le sourire, ce rire réfléchissant, et le rire lui-même apparaissent comme la dernière communion avec le croyable. Si quelque chose mérite encore respect, c'est bien le poids de cette purificatoire, de cette pathétique légèreté.

Conteur et romancier né en 1947, André Carpentier est Montréalais d'origine et de coeur. Après des études plutôt sinueuses (pédagogie, études littéraires, psychologie) et une année à Strasbourg, il travaille durant six ans au Pavillon de l'humour, à Terre des Hommes. Pigiste depuis 1980 (c'est ce qui pouvait lui arriver de mieux, d'ailleurs il touche du bois pour que ça dure), André Carpentier gagne son pain à l'aide de charges de cours à l'UQAM et à l'UDM, d'émissions radiophoniques... et de tout ce qui fait vivre — aux deux sens du terme. Une chose encore: André Carpentier se considère modestement comme un défenseur de la nouvelle.

Livres de fiction:

Axel et Nicholas, suivi de Mémoires d'Axel, roman. Édition du Jour, 1973, coll. "Les romanciers du Jour".

L'aigle volera à travers le soleil, roman. Montréal, Hurtubise HMH, 1978, coll. "l'Arbre".

Rue Saint-Denis, contes fantastiques. Montréal, Hurtubise HMH, 1978, coll. "l'Arbre".

Du pain des oiseaux, récits. Préface d'André Belleau. Montréal, VLB, 1982.

Fuites et poursuites, nouvelles. En collaboration. Montréal, Les Quinze, éditeur, 1982.

Dix contes et nouvelles fantastiques, nouvelles. En collaboration. Montréal, Les Quinze, éditeur, 1983.

S'il arrive que l'artiste fixe un instant privilégié, il ne le fixe pas parce qu'il le reproduit mais parce qu'il le métamorphose.

André Malraux

Que notre enfance nous fascine, cela arrive parce que l'enfance est le moment de la fascination, est elle-même fascinée...

Maurice Blanchot

À qui se dit mineur,
mais que l'on sait docteur.

Il était une certaine fois un enfant de la ville qui s'en allait seul, dans l'arrière-pays, passer l'été chez ses grands-parents maternels... Il a ses onze ans, pour ne pas faire rond, et voyage par train; l'image de la mère absente ne le quitte pas. Il a le corps gracile, le visage bourgeonné, le regard honnête. Il mange des bonbons.

La voie ferrée divise une nature mouillée sur laquelle l'enfant jette une paupière ennuyée. Son front tambourine sur la vitre tandis que la caravane de fer avance dans la succession des petits pays compartimentés. Au départ: Montréal, le Château d'illusions; puis la banlieue boueuse et le pays profond. Et enfin les marches, région frontalière où, malgré les apparences, tout passe et rien n'arrête.

L'évêque du pays se nomme Portenron. Y'a pas plus sermonneux, pas plus laite et grognon.

* * *

L'histoire presque vraie presque fausse, tronquée, étirée, rapiécée, qui sera contée ici commence de se dérouler dans la campagne de nos presque quarantenaires alors enfants. Plus précisément dans une paroisse du sud-ouest du Québec, un village tout ce qu'il y a de plus isolé, à deux pas de la frontière ontarienne. Un village qui n'apparaît peut-être plus, aujourd'hui, que sur une seule carte, celle du Bien-Être social. Ajoutons, pour le plaisir, que le lieu en question sera dit Jalousie, ce qui ne serait pas trop invraisemblable dans ce coin de la future Belle Province où foisonnent les noms profanes... et anglais.

L'époque? Disons la fin des années cinquante; aux premiers jours de l'été 1958, par exemple. C'était l'année où le petit maigrichon, prénommé Aimée (si, si, avec le "e" muet), avait tenté d'effacer des croix et des "M" (pour "mal") dans son bulletin. On lui avait alors promis qu'il serait privé de vacances à la campagne l'été suivant, à moins évidemment que le dernier bulletin de l'année ne soit extraordinaire. Devant une telle situation, Aimée avait hésité entre deux stratégies: ou bien étudier avec acharnement (mais il lui faudrait pour cela apprendre à étudier); ou bien rendre la vie de ses parents impossible, à force de bêtises et de mauvais coups, ce qui leur donnerait certainement l'envie de se débarrasser de lui pour les vacances. Or, il avait choisi la première solution, la croyant moins rude pour le gras de la fesse. Et il était arrivé le premier de sa classe. Cela ne s'était jamais produit et ne se produisit plus jamais.

C'était aussi quelques années avant que le Canadien Pacifique ne cesse de desservir Jalousie, reléguant ainsi la paroisse dans l'arrière-pays.

Aimée a donc onze ans, onze ans et demi comme le précisent souvent les enfants. Pour l'instant, il rêve encore, entre les grincements rythmés du train qui l'amène à Jalousie, qu'il vole au-dessus d'un monde qui ne l'atteint pas, ne lui fait pas de mal, ne l'emprisonne plus dans ses écoles; il rêve que l'espace lui appartient, aussi bien le ciel que ces recoins merveilleux de la terre pour jouer à la cachette; il rêve qu'il est libre et beau. Aimée se laisse fasciner par le déroulement des champs battus par la pluie, par l'odeur du cuir et de l'humidité poussiéreuse. Il compte les poteaux mais ne se rend jamais à onze. Des choses passent dans sa pensée sans qu'il sache qu'en faire. Sans doute même, s'il s'imposait d'y réfléchir, ne croirait-il pas à la prégnance des images. J'existe, pense-t-il. Curieux!

(Ma cousine, voilà que j'évoque un enfant qui n'est plus moi; vraiment. Je m'en souviens à peine; et pour-

tant, il me colle à la peau, cet enfant. Par mégarde ou plaisir, il me suit et je l'aime. Je ne suis nullement morose ou nostalgique, ou hypocondriaque ou bien mélancolique. Je conte sans regrets, sans peine ni chagrin. Je ne suis que conteur, donc menteur et serein.)

— For Jalousie Stéchonn! Arrêt dans deux minutes. Pour Jalousie Station. Jalousie, tou ménuts.

En ce temps-là, les villages avaient deux entrées, comme les maisons. La grande entrée, dite principale: ici, la voie du CP; et la porte arrière: ici, une petite route dangereuse zigzaguant dans l'axe est-ouest. Lorsque le grand-père faisait venir ses petits-enfants à la campagne pour la période des vacances ou des fêtes, ceux-ci n'arrivaient jamais autrement que par le train. Il faut comprendre: le vieux Fend-le-Vent Baptisept avait du sang bleu, le front tapissé d'orgueil et ce regard tout intérieur propre à la noblesse de la terre.

Près d'Aimée, dans le train, Monseigneur de Portenron, de la lignée humaniste des prélats québécois, homme bon, discret et de bonne compagnie, dort sur son bréviaire. Ce qui est une manière de dire, car c'est plutôt le bréviaire qui est sur le Monseigneur...

Le train toussote paresseusement; il va bientôt s'arrêter. Aimée se lève, mais l'Évêque a les jambes posées sur le siège d'en face, ce qui empêche l'enfant de passer, du moins sans acrobatie. Par respect, donc, pour un monsieur le curé avec du violet qu'il ne voudrait pas réveiller pour le plus beau sermon du monde — de toute façon, il n'aurait pas le temps de l'écouter —, Aimée tente de passer par-dessus les jambes allongées. Mais soudain, disons à cause de la valise, il fait un faux mouvement et il s'échappe de tout son poids sur la jambe du Portenron. Or, comme chacun le sait, le poids d'un enfant de onze... onze ans et demi, avec sa valise, est bien assez pour endommager une jambe étirée et faire subitement souffrir le Monseigneur qui y est attaché. Monseigneur de Portenron appelle le ciel de vive voix. Censure et secondes précieuses qui s'égrènent.

— Où vas-tu comme ça, mon petit chérubin?

— Chez grand-pèr', m'sieur l'curé. Attention au missel.

Le Portenron poursuit, se tordant de douleur.

— Appell'moi Monseigneur, ouille! si tu veux bien...

Aimée a mal compris. Le Monseigneur lui fait grand effet.

— Ho! Monseigneur Houle! Le curé vous appelle...

Les éclats de l'enfant éveillent bien des vieilles dames que le roulis a trop longtemps rassurées.

— Non! C'est moi, Monseigneur. Monseigneur Portenron. Ah! quel charmant enfant! Quand tu t'adresses à moi, tu dis Monseigneur. Hein! Dis-moi, quel est ton nom?

— Moi! Aimée Centripète. Aimé-*e*, de surcroît.

Le Portenron ne remarque pas la précision.

— Je ne connais personne en ce coin de pays qui porte ce nom-là. Qui est donc ton grand-père?

— Il se nomme Adélard et reste à Jalousie.

— Adélard Centripèt'! Tu ne mens pas, j'espère?

— Mais non, pas Centripète, Adélard Chatelais.

Du coup, le Monseigneur, dont la particule est facultative, comme on l'a vu, avale sa Chiclette.

— Chatelais, que tu dis! Un p'tit fils Baptisept!

Les Chatelais sont surnommés Baptisept, dans le pays. D'ailleurs, toutes les familles ont un surnom, à Jalousie: les Crève-la-Patte, les Gros-Menton, les Cayousse, les Quatzépaules... Pourquoi les Baptisept? On dit que l'affaire remonte à un certain Baptiste, un septième fils de la famille qu'on ne voulait pas confondre avec un oncle, lui-même dit Baptiste-le-Bi, ou Baptibi, et un cousin dit Baptiste-le-Fou ou Baptifou.

— Quel âge as-tu, Aimée? dis-moi donc, s'il-te-plaît.

Le train s'est arrêté. L'enfant est dans l'allée, une main sur la valise, l'autre retenue par le Portenron.

— Onze ans et quelques mois, je dirais plus de sept.

— Onze ans, tu dis... Onze ans! Je me souviens de ça. C'est bon d'avoir onze ans quand t'aimes ta maman et que ta maman t'aime. Elle t'aime, n'est-ce pas?

— Je suis le préféré de papa et maman.

Le Portenron reconnaît là le ton d'orgueil des Baptisept; il se rembrunit brusquement et serre davantage le poignet de l'enfant sans le laisser ajouter la chute de sa réplique, à savoir qu'il est enfant unique. Il lève le doigt au ciel, le Monseigneur, et exécute des effets de robe comme au temps des grands sermons et des retraites fermées.

— Tu sais ce qui est dit, petit-fils Baptisept, de ces vilains péchés, orgueil et vanité, par les évangélistes et puis par les prophètes?

Il ne le saura que des années plus tard, le petit Aimé-avec-un-e; il s'est arraché à l'emprise de l'Évêque et a sauté à bas du train comme celui-ci démarrait.

Monseigneur est sur le marche-pied, courbé, la main sur le genou, plus assis que debout et debout comme assis.

— Je vais prier pour toi, Aimée. Gare au péché!

Aimée regarde aller ce qui jusque-là avait été sa vocation; il sera plutôt chauffeur de train, pense-t-il.

(Il changera d'idée au moins cent fois; d'ailleurs, il n'a jamais cessé de vouloir être ailleurs.)

* * *

Jalousie, Jalousie Station pour être plus précis, est un petit village qui ne connut jamais d'heure de gloire. On n'en entendit jamais parler autrement que comme un amas de cambuses et de maisons blanches, les unes au nord, les autres au sud de la *track* du CP et de sa gare beige et brun. Le seul orgueil de Jalousie avait été sa tour d'eau qui alimentait les belles du CP. Je dis "alimentait", car bientôt le maudit train, comme on l'appelle dans la paroisse, ne s'arrêtera plus à Jalousie. Et Jalousie sera effacée de la mémoire des Montréalais, des cartes du ministère des Transports, et désertée par les jeunes qui répondront désormais à la question que vous savez qu'ils sont nés dans le comté de Soulanges; cela, à tout prendre, ne sera pas plus éclairant.

C'est maintenant l'embellie. L'air est à la fois chaud et humide; il pèse sur les épaules. Aimée écoute la belle journée. Une mince vapeur s'élève du sol; bien sûr, après ces longs jours de pluie... Une odeur forte et exquise à la fois de terre et de végétaux mouillés enfleure le pays jusqu'au-delà de l'horizon franchi tout à l'heure et amortit davantage la rumeur des champs. La lumière auréole les objets. La nature vit l'impressionnisme de l'intérieur. Quelques petits nuages voyagent rapidement dans le ciel. Comme le poisson dans l'eau, Aimée s'étonne soudain que son plafond fasse des vagues.

(Que représenteraient, pour l'être humain sensé, des images cachées et non verbalisées?)

La route qui quitte le village par le nord-est est en gravier; pourtant, le comté vote du bon bord! Aimée penche du côté de sa valise. De temps en temps, un coup de vent le débarrasse un peu de sa chaleur, mais lui remplit la bouche de poussière.

Une double rangée interminable de poteaux de clôtures déambulent en sens inverse; parfois un arbre se joint à eux, comme un ancêtre forçant le souvenir. L'appel de l'espèce! Aimée se croit seul sur cette montée; il marche en lui-même sur la route imposée, la tête basse, le regard bondissant d'un caillou à l'autre; comme s'il refusait de savoir où il va. La nature, la campagne l'attire, certes, mais moins que certains paysages intérieurs desquels il ne peut se détourner, même pour un vol d'alouettes au-dessus des champs. En vérité, il se passe cette chose curieuse que les éléments du décor sont présents à son esprit avant d'être quelque chose. Ils existent, avant de signifier, dans leur forme, leur matière, leur rapport à la lumière.

(Vers aux champs, qu'aimez-vous de nos pas qui vous tuent? Le décisif hasard où les mots ne sont plus, le regard qui se tourne en direction du vent ou l'amour qui s'en va se coucher sur un banc?)

Aimée cherche l'autre monde dans celui-ci. Vivre ne lui suffit pas. Or, en apparence, son esprit semble collé aux contours du décor, apaisé, amorti et même ralenti; en réalité, il est très actif, mais tourné du mauvais côté, c'est-à-dire vers l'extérieur. Son corps lui échappe et se confond avec la nature du moment. Hier encore, c'était avec le paysage des ruelles et des avenues bordées de grands poteaux; là, c'est avec celui des emblavures, des arbres et des clôtures. Qu'importe. Le frémissement n'abandonne jamais celui qui continue de s'émerveiller...

— Hey! avez-vous vu ça? Sur le chemin des rangs... C'est le Morialais, le Baptisept d'la ville!

Trois enfants blonds, montés sur des bicyclettes à pneus ballounes, ont rejoint Aimée dont la valise paraît tout à coup plus lourde. Il y a une seconde du monde qui n'achève pas de passer... Elle vient de passer.

Celui qui n'a pas d'incisives supérieures, tacheté de roux, moqueur, attaque le premier. C'est un Latreille, dit Cayousse à cause d'un ancêtre qui ne jurait que par la force de ses chevaux.

— C'est-tu vrai, Baptisept, que je meure si je mens, que vous faites le lait, vous autres à la ville, avec de la glace, de la poudre et de l'eau?

Il n'y a rien au monde qui ravisse davantage et fasse se rengorger un enfant de la campagne que de ridiculiser un fin-finaud de la ville, de le narguer. On voudrait être né là; la moquerie y est un art.

Aimée ne sait plus quelle attitude prendre. Il choisit la mauvaise et fait rire de lui plus longtemps.

— C'est du lait d'la ville, hein! Pas d'la campagn', c't'histoire!

Là, on passe de la moquerie à la raillerie.

— C'est-tu vrai que chez vous ils serrent les poteaux, la nuit? On dit aussi qu'ils roulent les trottoirs!

Aimée est bafoué. Il charge.

— Ton père y sables-tu, toé, la *track* du CP?

Il a trop parlé. L'engin balloune fonce sur lui. Voilà Aimée en bas de la route.

— Depuis les champs, les rangs, jusqu'à l'eau des fossets, sa crotte et sa gadoue, t'auras tout visité!

(Vous ne me croirez pas, mais ils parlent ainsi les gens de Jalousie; très souvent leur parole a le rythme et le son de la vraie poésie. On dit, dans le pays, que leurs langues sont folles!)

Les trois enfants blonds rient plus fort qu'il ne le faut. Ils regardent de haut le visiteur assis dans les embas.

— Baptisept! Baptisept! Baptisept! Baptisept!

Soudain, une tache noire sortie des champs vient leur couper le plaisir.

— Hey! Attention, les gars! V'là le vieux Jos, astheure.

Les enfants s'enfuient. Ils font lever la roue avant de leurs bicyclettes, en pensant à Lone Ranger et à Silver, son cheval.

Aimée se souvient bien que c'est dans le fossé qu'il a attrapé l'herbe à puce, l'été précédent, en jouant au père et à la mère avec la cousine, mais il garde quand même la tête dans les foins, les pieds enfoncés dans la boue et les fesses à l'eau. Le vieux Jos, c'est le détraqué de la paroisse, l'homme de la cabane! Celui qui parle tout seul, la nuit, avec des termes, comme dit memère; qui hurle à la lune, chauffe en été et se lave avec la neige en hiver.

(Celui-là, c'est l'obscur, l'épouvantail, tu vois! Souviens-toi, mon cousin: le vieux Jos, c'est la peur, la merveilleuse peur, le mystère et l'effroi, la terreur de l'enfance et l'angoisse, sa soeur. C'était un philosophe et un fou à la fois, retiré du monde, mais conteur et penseur; nous ne le savions pas. Je pense à lui parfois.)

— Ah ben! Le bien Aimée! Le Baptisept d'amour!

Le vieux Jos n'est pas vraiment vieux; donnons-lui la fin de la cinquantaine. Et puis son véritable prénom n'est peut-être pas Jos. Qui sait ce que cache le mystère?... Ici, le personnage se montre affable. Il a les Chatelais en affection qui lui font porter des pommes de leur verger et des légumes du jardin, qui le laissent profiter d'un lopin en bois debout.

— Tu t'en vas où, par là? Cherches-tu la montée? Ou le huitième rang? Tu fais des grands détours...

L'affection n'a jamais empêché l'ironie.

— Et pour rien, à part ça. Je vais t'accompagner.

Aimée pense que l'homme qui lui tend la main n'a pas l'air si méchant. Sans compter que l'être humain, même jeune, s'accommode mal d'une culotte laissée trop longtemps dans l'écoulement des eaux.

Aimée sort du fossé et marche côte à côte avec le vieux Jos qui porte maintenant sa valise.

— Es-tu là pour l'été, Aimée, ou seulement, disons... pour assister au grand événement?

La curiosité de l'enfant est piquée au vif. Quel grand événement? À Jalousie!

— Eh bien, il paraîtrait que le vieux Fend-le-Vent, ton grand-père Baptisept, aurait, pour la Saint-Jean, préparé un bon tour, en fait une vengeance contre le vieux Joël et tous ses Gros-Menton.

Aimée ne comprend pas tout de cette histoire. Il connaît évidemment la rivalité qui dure, paraît-il, depuis cinq générations entre les Baptisept et les Gros-Menton; il se souvient aussi que le vieux Fend-le-Vent le faisait lever avant le chant du coq, l'été passé, pour aller crire les vaches et avoir le plaisir de croiser un Gros-Menton au retour, si possible le vieux Joël lui-même, et de lui crier:

— Ho! Joël, à matin: ça l'air dur, la partance! T'as dû veiller trop tard à jouer du violon. Ou ben t'as oublié de remonter ton coq!

Mais là le vieux Jos se frotte la mâchoire; ça grésille fort dans sa main. Deux corneilles, l'air important, s'élèvent des clôtures et vont battre leurs ailes du côté des Charron, dits

103

Quatzépaules, à cause sans doute de la bouteille du même nom; car on prend un coup fort chez les Quatzépaules.

(C'est assez de cancans, t'as raison mon cousin. Je disais ça, en fait, pour bien peindre l'époque.)

— Tout aurait commencé le jour de la Toussaint.

Le vieux Jos soulève son melon et se frotte le cabochon. Il se demande si c'est bien à lui de raconter ça à Aimée.

— Rapport que ce sont là, ma foi, des faits privés entre les Baptisept et puis les Gros-Menton.

Mais comme Aimée est un Baptisept rien que d'une fesse et qu'en plus il a l'air intelligent, donc qu'il semble capable de faire la part des choses, le vieux Jos consent à lui relater les événements de la Toussaint. Mais à une condition:

— Ne dis pas que c'est moi qui te l'ai raconté.

— Je ne le dirai pas, juré-craché... Pardon!

Aimée a craché sur la bottine du vieux Jos; il en fait toujours trop.

(Je ne sais qui je suis, et pourquoi moins encore. L'enfance et le reste m'ont toujours ennuyé. Je sais bien, cependant, qu'un jour je serai mort; et je fais le joyeux au point de m'exhiber!)

La légende veut que dans la nuit de la Toussaint les morts jouent des tours aux vivants.

— Toi pi moi, on sait bien que les morts y sont morts; ça fait qu'on sait aussi, quand des tours sont joués, que ce sont des vivants, en fait, qui font les morts!

Ce n'est pas aussi clair qu'Aimée l'aurait souhaité; ça lui rappelle un peu trop l'école. Aimée déteste très profondément l'école.

— S'il faut en croire ici les gens autorisés, il paraîtrait qu'un tour aurait été joué de par les Gros-Menton contre les Baptisept.

Au premier chant du coq de la Toussaint, quand les Baptisept se sont levés pour faire le train, qu'est-ce qu'ils ont vu, bien en équilibre sur le toit de leur grange?

— Tu peux pas le savoir; tu peux pas deviner.

Le vieux Jos interrompt sa marche, respire fort en retenant un fou-rire et montre du doigt la vieille grange rouge se découpant entre le verger et la maison blanche et bleue des Baptisept, ses voisins. Il annonce gravement:

— La vieille voiture de Fier-Pet Baptisept! Le père d'Adélard, et toi, ton bisaïeul.

La belle voiture de promenade de ce monstre d'orgueil qu'était Fier-Pet Baptisept, une voiture de luxe qui avait perdu tout son lustre à force de passer des hivers et des décennies près des bâtiments. Imaginez: ce vieux véhicule déposé là durant la nuit sans que personne, chez les Baptisept, ne s'en rende compte! Diables de Gros-Menton!

— Quel tableau inouï, Aimée. Je la revois, ben à califourchon, tenant là tout fin seule! Deux roues et pi un bras sur un versant du toit, deux roues et pi un bras de sur l'autre côté. Peu de gens ont vu ça par rapport que la Huit est ben loin du village et pi que le boghei est pas resté longtemps au sommet de son site.

La grand-mère Baptisept avait pas fini de faire ses crêpes du matin pour les hommes engagés que la voiture était déjà descendue, coupée, refendue et cordée au ras de la boîte à bois. Y en a même qui racontent que ça a fait de la fumée noire pendant une semaine. Chez les Gros-Menton, on disait que la mère Baptisept faisait des tartes à la réglisse!

(Ce que je vous dis là, mes cousins et amis, je n'apprécierais pas que d'autres le racontent. On a gardé un peu l'orgueil de Jalousie. Les souvenirs s'enfuient, mais pas toujours la honte.)

Le vieux Jos continue son récit. Il lui semble cependant que le meilleur est passé. Dans l'esprit d'Aimée, pour qui

Fend-le-Vent Baptisept est un héros, le meilleur, contenu dans le mystère du mot vengeance, reste à venir.

— Fend-le-Vent Baptisept avait le regard brave! Personne n'a rien dit devant son vivant, rien. Personne n'a osé. Ç'aurait été trop grave! Ceux qu'ont ri dans son dos, c'étaient des pharisiens.

Le vieux Jos, comme la plupart des gens du village, ne sait pas très bien ce que c'est que des pharisiens. Mais il lui semble que le mot tombe juste. Aimée en est d'ailleurs impressionné.

— Tu vois pourquoi, Aimée, on parle de vengeance...

Le vieux Jos continue de raconter, mais Aimée ne l'entend soudainement plus. La maison joyeuse des Chatelais, où dit-on les rires de la veille ne cessent jamais de résonner, est juste là, devant lui, en arrière-fond. Et entre celle-là et Aimée, au coin de la nuit, les bas blancs rapprochés, les mains cachées derrière le corps, une enfant se tient en arrêt, ou plutôt une jeune fille qui doit avoir treize ans puisqu'elle en avait douze l'été passé, quand on l'appelait Cocologie.

Il ne peut la nommer; il n'ose la nommer. Est-ce bien elle?

— Tu ne reconnais pas, Aimée, la belle Hélène?

Est-ce possible! Derrière le surnom de Cocologie, il y aurait donc un vrai nom, un nom de fille! Une vraie fille!

(Te regardant ainsi, je sortais de l'enfance; tu étais presque femme et n'étais pas vilaine.)

Elle s'approche. Elle a, sur sa petite pommette orientale, une fine tache lumineuse, sans doute une étoile échappée du ciel et venue sur son beau visage la démarquer des êtres communs. Son corps a changé; son sourire est passé de la bouche aux yeux. Elle prend la valise. Sa robe est tellement blanche sur fond de tréflière! Il y a un parapluie, dans la tête d'Aimée, qui vient de s'ouvrir. Il lui semble que son oiseau lui pèse...

Tandis que le vieux Jos coupe à travers champs en direction de sa cabane, sifflotant l'ouverture de l'opérette *La belle Hélène*, d'Offenbach, Aimée et Cocol... et Hélène commencent à marcher sur la Huit dans le silence complice du vent dans les feuillus, des semelles crissant sur le gravier... et des cris d'animaux dans le lointain! Hélène dit n'importe quoi pour masquer son trouble qui, du coup, devient plus apparent.

— Les Canadiens, toujours, ont-tu gagné la coupe?

Voilà ce qu'Aimée aurait pu qualifier de plus beau lundi 23 juin 1958 de sa vie!

— On t'attendait, Aimée; on t'a fait de la soupe.

*   *   *

Ce soir-là, la maisonnée des Chatelais se retrouve, comme tous les soirs après la seconde tablée, à genoux sur le plancher, dont mille lavages ont accentué les rainures, pour dire le chapelet en famille avec le Cardinal. Sous l'oeil sévère de Florestine, maîtresse du culte en cette joyeuse mais sainte maison, on se tient le corps droit, dans les deux cuisines, et on répond à haute voix aux Avé et aux Pater grésillants du saint homme de Valleyfield.

On ne dit pas le chapelet en bardeaux* chez les Chatelais. Et on laisse un bout de pain en permanence sur la table de la cuisine de façon à ce qu'un nécessiteux de passage sache, quelle que soit l'heure du jour, qu'il y est le bienvenu.

Dans la cuisine d'hiver, au-dessus du buffet, garnie d'un rameau défraîchi et d'un Agnus Dei cramoisi, est accrochée une petite croix noire, longue comme un couteau à pain, une croix de tempérance que le grand-père d'Adélard avait fait bénir par l'abbé Chiniquy. Au pied de la croix noire, il y a Adélard et Florestine.

_____

* Chapelet en bardeaux (ou chapelet de bardeau): lorsque les répondants entament le "Sainte Marie, Mère de Dieu..." avant la fin du "Je Vous salue Marie..." et vice versa, de sorte que tout le monde parle en même temps. Un chapelet en bardeaux est vite dit.

*(Cette femme, pour moi demeure un vrai mystère. Sa
longue vie se dit en une courte histoire: fourneau,
torchon, prière, aiguille et cafetière; et joyeuse au
labeur, au matin comme au soir!)*

Florestine a un chapelet comme unique parure; ses
miroirs se sont usés sans elle. Elle est chaleur et autorité. Et
double parfum, de femme et de cuisinière. Ses plus beaux
voyages, elle les a faits en pensée, rivée à son Lislet beige et
brun... comme la gare. Elle a eu quatre enfants dont un est
mort de rhumatismes à l'âge de dix ans. Elle témoigne d'une
grande ferveur; certains disent que c'est une sainte femme.

Adélard, lui, est un grand dieu des vents; tout ce qu'il
touche lui appartient ou se réclame de lui, profite de sa belle
image. Il a toujours quelques épis blancs qui flottent dans l'air
libre au-dessus de sa tête lactée, comme une auréole profane
disant à tous son appétit d'indépendance, et le bel orgueil
qu'il en tire.

*(Je tiens cela de lui, d'être mon propre maître; chez
moi sont grands ouverts l'esprit et la fenêtre.)*

Puis il y a Léon, l'aîné des garçons, sa femme et leurs
enfants, dont Ti-Croûte, futur poète qu'Aimée fait enrager
en se moquant de la grosseur de son nez.

— Ti-Croûte, as-tu pensé d'entrer dans la Narine? Tu
ferais donc fureur dans les forces nasales!

Dans la cuisine d'été, Aimée et la cousine se sont age-
nouillés avec les hommes engagés, qui ont passé la journée soit
aux champs, soit au verger, soit au moulin.

Il a été dit, plus tôt, que chez les Baptisept les rires de la
veille ne cessent jamais de résonner. C'est parce que les journées recommencent toujours comme elles se sont achevées,
par la prière... et par les litanies.

La récitation du chapelet ne suffit jamais à Florestine;
c'est pourquoi elle y ajoute toujours des invocations à une

108

kyrielle de saintes et de saints plus ou moins connus, plus ou moins réels, qu'elle divise en trois catégories.

Il y a d'abord ceux qui se rapportent aux prénoms des personnes de son entourage: un engagé, une cousine, un voisin... Saint Cléophas, saint Cyprien, sainte Léocadie. À chaque nom, la maisonnée ajoute respectueusement "priez pour nous". Saint Évariste, priez pour nous, sainte Honorine, priez pour nous, sainte Victoire, priez pour nous, saint Josaphat... Respectueusement! Façon de dire. Il y a des accidents.

— Saint Tom, sainte Sabine...
— Détache tes bottines!
— ...bonne sainte Phonsine.
— Pi ôte ta capine!

C'est surtout le grand Dieudonné, le bouffon des engagés, mais fidèle et bon travailleur, qui fait rire les hommes et les enfants dans la cuisine d'été.

— Saint Ti-Guy, saint Placide...
— Qu'a eu la typhoïde!
— ...sainte Lée, saint Alcide...
— Qu'a les can'çons humides!

Le jeu de Dieudonné consiste à assommer ceux qui le serrent de près de ses plaisanteries les plus lourdes, comportant des variantes à chaque jour, sans qu'Adélard et surtout Florestine entendent. Pour chacun de ceux qui l'entourent, la difficulté consiste à répondre "priez pour nous" avec les autres et de tendre en même temps l'oreille de façon à ne rien perdre des facéties de Dieudonné.

— ...saint dJos, sans Isidore et sainte Éléonore.
— Embrasse-moi plus fort ou va coucher dehors!

La portée de l'esprit de Dieudonné ne repose pas tant sur la qualité de la rime qu'il propose que sur la production d'un double sens qui éclabousse celui ou celle que rappelle le nom de la sainte ou du saint invoqué.

— Saint Thodore, sainte Angèle...
— Un vrai péché mortel!

Il y a aussi le rythme et l'accumulation qui fait rire les engagés. Saint Cyprien et sainte Fortunée, saint Engelbert et sainte Dora, saint Évariste et sainte Albine, saint Théophile et sainte Delhia, saint Eusèbe et sainte Anysie, saint Anselme et sainte Armina, saint Urbain et sainte Catherine...

— ...saint Jean-Paul, saint Aurèle.

— Ferme la porte, on gèle!

Florestine ajoute saint Aimé-*é* et sainte Hélène, sainte Florestine et saint Adélard. Ici Dieudonné s'unit au "priez pour nous" en feignant le recueillement. Cela fait redoubler les rires. Saint Joël! Un long silence berce les choses et les êtres. Puis Adélard marmonne, en mêlant le craquement de ses genoux à ceux du plancher:

— Priez pour lui, mon Dieu; y vont n'avoir besoin, lui pi ses Gros-Menton, dret-là demain matin.

Florestine enchaîne au plus vite. À court de parenté, elle passe à la deuxième catégorie en empruntant à la géographie. Elle a une tante ici, un frère là-bas... Saint-Télesphore, Sainte-Barbe, Sainte-Blandine, Saint-Lazare, priez pour nous.

— Sainte-Scholastique...

— Qu'a avalé sa chique!

— ...Saint-Clet et Saint-Zotique.

— Se promène en bicycle!

Ça barde dans la cuisine d'été: Jean-Paul vient de tomber avec sa chaise, Alcide a fendu l'air d'un vigoureux pet et Tom a le hoquet à force de rire.

(C'est vrai, cousin, j'étais dans la bonne cuisine, à côté du farceur; et près de la cousine!)

Saint-Polycarpe, tout le monde débarque, Sainte-Agathe, sauce aux tomates, Saint-Félix-de-Valois, Saint-Adolphe-d'Howard, Sainte-Émilie-de-l'Énergie, Sainte-Anne-des-Plaines. Sainte-Anne-de-Bellevue, cache ton cul.

Enfin, il y a la troisième catégorie, car Florestine a du coeur. Il est question ici des saints oubliés.

Sainte Chrysanthe, qu'a mal au ventre, saint Théodose, qu'a les fesses roses, sainte Clarisse, sainte Basilisse et sainte Jocrisse, y a des épices sur la saucisse de la police; le bon larron saint Disme, qu'a des rhumatimes, sainte Thècle, saint Polyeucte...

— ... et sainte Sibylle.

— As-tu du sexe à piles!

Sainte Glaphyre et saint Clodomir, je commence à m'endormir, saint Philogone, y sent la tonne...

— ... et sainte Chrétienne.

— Tu me dois cinq cennes!

Saint Prote, qu'est tombé sur le porte-crotte!

La séance se termine par les prénoms des parents de Florestine et d'Adélard.

— Saint Louis-Alexandre, saint Bill, ainsi soit-il; saintes Iphigénie et Philomène, amen.

(Ces voix qui nous habitent et que le temps effile, de tels racontages parfois nous les ramènent; cela sert le présent, et non plus le passé.)

C'est fini. Ou presque, car, avant que les hommes n'aient eu le temps de se relever et de se lancer sur les cartes et les dominos, avant qu'ils n'allument leur pipe ou se roulent une cigarette, Florestine lance une dernière évocation sur un ton qui ne souffre manifestement aucune réplique.

— Saint Dieudonné, priez pour le grand escogriffe qui porte votre nom, qui s'amuse à rimer, à ridiculiser son foyer adoptif.

Il faut voir, par la suite, le filiforme Dieudonné, du haut de ses six pieds, trois pouces, quelques larmes coulant sur son jeune visage d'orphelin, la tête entre les épaules, venir renifler sa morve devant Florestine plus petite, plus ronde mais plus puissante que jamais. Plus affectueuse aussi. Les hommes gagent sur la durée des résolutions de Dieudonné; les plus ambitieux prévoient trois jours avant qu'il ne recommence.

Peu à peu, la brunante se met à bercer les choses. Le temps s'étire, la nature amenuise apparemment sa substance.

Le pays s'efface. Heureusement qu'il y a la mémoire. Les engagés ont des mots plus doux, moins accablants; ici les jurons ne servent plus à libérer du joug du travail, mais à faire éclater la part joyeuse des hommes. Les bruits du soir rebondissent doucement sur la charpente de la maison, puis retournent à la nuit comme des êtres à la poussière. La vie semble diminuer en intensité. Ce n'est qu'illusion; la nuit n'est pas indifférente à ce qui se passe dans sa noirceur. Dieudonné dirait sa noirté.

* * *

Il y a d'abord un drôle de bruit qui fait sursauter le dormeur, puis un violent coup de lumière qui lui écorche les iris; la cousine se tient à la fenêtre, la main sur le cordon du store. Il est midi et tout va bien. Sinon qu'il n'a pas vu la belle Hélène se lever, ce matin, dans son *baby-doll*, tout comme la veille au soir il s'est endormi avant qu'elle ne se déshabille dans la pénombre; il devra apprendre à lutter contre l'endormitoire... s'il veut être chauffeur de train.

— Viens manger, le cousin; grand-père nous a dit d'être au coin de la Huit pour la cérémonie.

"Encore un mystère!", se dit Aimée. À moins que ce ne soit toujours le même.

— Quelle cérémonie? Est-ce ça, la vengeance?

— Je n'en sais rien. Allez. Il faut descendre, avance.

La belle Hélène est une cousine autoritaire qui tend à brasser ceux qu'elle aime; mais elle sait aussi donner du plaisir aux mêmes. Cela se passe dans l'escalier lambrissé de cèdre rouge.

— Ce matin, tu sais pas, il a téléphoné à un vrai monseigneur et il l'a invité pour la bénédiction et aussi pour le feu.

Le traditionnel feu de la Saint-Jean, oui, évidemment. Mais quelle bénédiction, quelle cérémonie, enfin?

— Je ne sais pas, moi! Sois donc pas si curieux!

Ici, c'est la main affectueuse passée dans le cou d'Aimée qui donne le ton aux mots.

Dans la cuisine d'été, Florestine examine son petit Aimée de la ville assis à la place d'Adélard. Il est si maigre, si pâle! Il doit boire du lait en poudre! Elle pense à toutes les bonnes tartes qu'elle va lui faire pour l'engraisser un peu.

Aimée remarque, autour de la remise, une agitation inhabituelle; ça entre, ça sort, ça transporte des outils, des bouts de bois, des pots de peinture. On sent une vive excitation. Dieudonné semble creuser un trou au coin de la Huit et de la montée, tandis que Tom et Alcide transportent du gravier et des planchettes à clôture blanches. Dans le carré d'en face, Léon et Jean-Paul échafaudent le feu de la Saint-Jean.

— Qu'est-ce qu'ils préparent, grand-mère, au bâtiment? Est-ce que tu le sais? C'est-tu pour la Saint-Jean?

— Ah! ça, mon bel Aimée, c'est un parfait mystère. Je n'en sais vraiment rien. Tu vois, quand ton grand-père se fabrique un secret, il le dit à ses gars, parfois même aux voisins, à son fils. Pas à moi!

— Pourquoi c'est que l'on dit Fend-le-Vent pour pepère?

— Ça par exemple, Aimée, c'est pas un gros mystère. Ton grand-père a été, surtout pendant la crise, un de ces voyageurs de trains de marchandises qui arrivent et repartent au gré des courants d'air, du plaisir, du travail. Il était beau et fier, même plus fier, ma foi, que Fier-Pet Baptisept, cet heureux prétentieux... qu'avait, tiens, tes fossettes!

— C'est quoi, Fier-Pet? Tu sais, c'est pas au dictionnaire.

— Ça, mon petit Aimée, Fier-Pet, c'est fier. Ben fier.

Quand Adélard revenait à Jalousie pour sécher les larmes de sa mère "ennuyeuse", il se promenait dans le village si avantageux de lui-même qu'il avait le nez aussi haut que la tour d'eau. Ceux qui avaient bien travaillé sur leur terre pendant que Délard voyageait dans les nouvelles provinces n'étaient pas contents de le voir revenir plus prospère qu'eux-autres. Et quand il consentait à parler au commun des villageois, c'était pour se péter les bretelles avec des gros chiffres et des phrases en anglais.

Et il faut encore le voir, trente ans plus tard, le dimanche à l'église, monter la grande allée après tous les autres paroissiens, comme un propriétaire qui entre dans son établissement, la chevelure d'un blanc plus blanc que celle du curé de Saint-Télesphore — qui vient dire la messe une fois par dimanche, à huit heures, car Jalousie a une église mais pas de prêtre —, l'habit mieux taillé que celui du docteur. Ses souliers craquent juste ce qu'il faut. Regardez-le surtout passer près des Gros-Menton comme s'ils n'avaient jamais existé et aller noblement s'asseoir dans le premier banc, le banc des Chatelais, en signifiant que l'office religieux peut maintenant commencer.

— C'est assez, les enfants. Allez vous balancer ou ben vous promener. Laissez-moi cuisiner.

Aimée n'est pas difficile, surtout lorsqu'il s'agit d'aller dans la balançoire avec la cousine. Il ne pense même pas à fouiner autour de la remise, d'où doit jaillir le mystère. De toute façon, il devine bien que les engagés l'enverraient voir ailleurs s'ils y sont.

Des mainates bronzés et des chardonnerets se renvoient des cris au-dessus de la cabane dite à moineaux. Tchoc-tchoc, pèr-ri-o-ri, tchoc-tchoc. Un quand-qui-rit tombe des arbres; c'est un carouge à épaulettes qui annonce sa bonne humeur. Et ça, qu'est-ce que c'est? C'est la balançoire qui grince! On voit bien que la cousine habite la banlieue.

Aimée et la cousine se laissent fasciner par les jeux d'ombre et de lumière se dessinant sous le chêne immense qui abrite la balançoire; ils ont chacun à la main une tartine, l'une de miel, l'autre de confiture. Le temps passe ainsi au rythme des éléments. Le vent emporte les pensées et le temps file avec elles. On attend toujours le grand événement. Aimée paraît constamment figé, en arrêt, comme émerveillé, débrouillant l'indéfinissable pigmentation, écoutant le bruissement, fleurant le bouquet des choses. Il est présent à tout, surtout à lui-même. Quand il marche dans le verger ou quand il se penche au-dessus du puits, il se voit marcher et se pencher. Mais quand il se promène à bicyclette avec la cousine sur la barre, il ne voit qu'elle. Il disparaît de l'image. Certes, tout est à refaire de ce monde pour qu'il soit à son usage, il a pensé à cela cent fois; tout sauf peut-être à la cousine...

(C'est sans doute aujourd'hui que je pense à ces choses! Que sait-on, à onze ans, du doute et de ses causes? Oh! j'étais prêt à tout pour me faire à ce monde; mais j'étais différent, seul dans le vent qui gronde, avec la peur, toujours, de Dieu et du néant. Je n'ai pas réussi. Je fais encore semblant.)

À ce moment précis, il est trois heures, soit une heure avant la cérémonie. Florestine lave à grande eau le palier de la cuisine d'été; Aimée, Hélène et Ti-Croûte s'en reviennent doucement vers la balançoire après une longue marche à l'ouest de la Huit; ils passent près des engagés qui s'offrent un petit répit sur la grande galerie ombragée dont six colonnes blanches supportent le toit. Le présent, cette région molle du regard, de la pensée, où rien n'a encore jamais eu lieu, continue de se dévoiler. La nature fait sa journée.

Tout cela n'offre rien de bien spectaculaire; on comprendra donc l'agitation que déclenche tout à coup l'apparition d'Adélard, dans la double porte grinçante de la remise, portant sur son épaule une longue croix noire qui lui fait plier les genoux, une croix luisante faite de deux pièces équarries, planées, assemblées à mi-bois, et dont le pied imprime dans l'herbe et le trajet et le poids! De fortes veines bleues, presque vertes, serpentent en relief sous la peau de ses tempes et à l'intérieur de ses avant-bras. Pour le reste, on ne sait pas; l'habitant ne se montre jamais le poil des jambes.

Florestine sent le danger sous cette image à la fois héroïque et passionnaire.

— Fais-toi aider, Délard. T'es plus une jeunesse; t'as plus rien à prouver à faire des prouesses! Tu vas t'exténuer pi te rompre les os!

Les hommes se précipitent pour aider le héros, qui est aussi le patron! Dieudonné atteint le premier le pied de la croix.

— Touche pas à ça, toué, si tu tiens à ta peau.

Un autre s'approche, aussitôt rabroué. Puis un autre encore... Adélard les tient maintenant à distance par la seule force de son regard; il l'a d'ailleurs blanc, ce regard, sur fond violacé! On dirait qu'il va éclater.

Florestine fait son chemin entre les engagés.

— Moi, vas-tu me chasser, si je fais ton Simon? Grand fanal orgueilleux! Vieux tête de cochon!

Elle lève le pied de la croix, ce qui rend le ballant plus difficile à tenir pour Adélard.

— Léon, viens nous aider; ton père va tomber.

— Reste où tu es, Léon; j'ai pas besoin de toué.

Les seuls qui s'approchent sans être renvoyés sont les petits-enfants, Aimée, Hélène et Ti-Croûte. Il faut voir la procession que cela donne! Un couple de sexagénaires et trois enfants portant une longue et lourde croix de bois sur plus de cinq cents pieds, suivis d'une huitaine d'hommes robustes et corpulents, hébétés, éberlués. Sans doute honteux.

Au coin de la montée, Adélard et sa troupe entrent à reculons dans un petit enclos garni d'une gentille clôture blanche et déposent le pied de la croix près du trou creusé par Dieudonné. Puis les cinq, toujours les mêmes, pêle-mêle, commencent à soulever la croix. La légende dira qu'Adélard a fait ça tout seul, mais qu'importe. Plus la traverse s'élève, plus les cinq s'agglutinent à la base du montant. À un certain moment, la scène ressemble assez à une photo célèbre prise dans l'île d'Iwo Jima durant la Seconde Guerre mondiale et sur laquelle on voit cinq ou six soldats américains, au milieu du tumulte, plantant le drapeau que l'on sait sur une butte nouvellement conquise; sauf qu'ici les uniformes militaires n'ont pas cours, la butte boueuse est un coin de pré fleuri et le drapeau américain une croix de tempérance.

Les engagés prennent la relève dès que la croix a rejoint le fond de son trou; ils versent du gravier autour du pied, puis solidifient le tout en composant une rocaille. Au cours des prochains jours, un peu de ciment viendra s'ajouter à la construction.

Florestine a eu peur que Délard se crève la santé, comme dit souvent Dieudonné.

— Mais pourquoi t'as fait ça? C'est de la déraison!

— C'était ma punition, ma mortification. Tu sais, ma Flo, toujours j'ai voulu te le dire, mais je n'ai jamais su: je t'aime, y a pas à dire! Je t'ai tout arraché et je t'ai rien donné.

— Vieux fou! ce n'est pas vrai; mais c'était bien parlé!

(Délard nous a tous trois serrés sur sa poitrine; puis il est retourné avec sa Florestine, lui sur sa galerie, elle dans sa cuisine. Te souviens-tu de ça, cousin? Et toi cousine?)

À la croix sont ajoutées: une niche, pour laquelle Dieudonné sculptera plus tard une statuette de merisier à l'effigie de la bonne sainte Anne, patronne de la province de Québec, de même que les répliques d'un marteau, d'une échelle, d'une lance et d'un coeur; toutes sont blanches, sauf le coeur.

Le moins que l'on puisse dire, c'est que l'ouvrage se termine juste à temps! En effet, au moment où les engagés s'en retournent à la maison pour se rafraîchir et se parer de leurs plus beaux atours, un essaim encore indistinct de concitoyens apparaît au loin, à la sortie du village. Et le monseigneur qui n'est pas encore arrivé!

Les hommes se précipitent dans la maison et sautent dans leurs habits sans prendre le temps de se laver, ce qui, au fond, n'est pas si grave; ils ne seront pas les seuls à avoir le corps collant et à répandre une forte odeur. Regardez ceux-là qui s'en viennent du village; de temps en temps, une voiture les rencontre ou les dépasse, les faisant disparaître quelques secondes dans un épais tourbillon de poussière chaude. Chaque fois, ils reparaissent au soleil un peu plus proches, un peu plus poudreux. On ne les sent pas vraiment venir, mais on les devine...

Il doit y avoir une bonne cinquantaine d'hommes, quelques-uns avec des instruments de musique, de femmes et d'enfants qui progressent jovialement vers la nouvelle croix de chemin. Leurs cris, leurs rires les précèdent. Quelques-unes seront bientôt satisfaites de reconnaître une croix de tempérance, quelques-uns un peu moins.

La horde joyeuse s'approche toujours. Tiens! Voilà le docteur, dans sa nouvelle Fleetwood, qui s'en vient dépasser les bons chrétiens. Du coup, Délard pense à changer sa Chrysler de l'an passé. Ah! non: la Fleetwood s'arrête, de même que les marcheurs. Les hommes retirent soudainement leur chapeau, les femmes se couvrent les bras; les enfants cessent de gesticuler, sauf trois garnements blonds montés sur des bicycles ballounes et qui s'amènent en trombe en lançant des cris.

— Hé-ho! les Baptisept! C'est lui... Le Monseigneur, Monseigneur Portenron et ses enfants de choeur.

Ici, Dieudonné, qui arrive en courant, rentrant tant bien que mal sa chemise dans sa culotte, réprime, comme tous les autres de la maison des Chatelais, une envie folle de lancer des roches à ces trois serins de malheur. La tentation est forte et ce ne sont pas les cailloux qui manquent.

— Si on avait des chiens, on les ferait manger...

L'autorité de l'Évêque ne tarde pas à s'établir. Sous son impulsion, le groupe bringuebalant s'organise en une véritable procession, avec le décorum et l'ordre que cela exige, il va sans dire.

Il y a d'abord le grand crucifix doré, porté par un enfant de choeur mal réveillé, qui brille au soleil — le crucifix, s'entend — et renvoie la lumière d'où elle vient, plutôt que de la garder pour elle comme le fait la croix de bois noire. Délard n'apprécie pas.

— Ah! le grand crucifix! C'est ben pour me narguer...

Puis il s'en retourne bouder sur sa galerie tandis que Florestine se demande si son vieux parlait bien du crucifix; connaissant l'homme, elle doute.

Derrière l'or, il y a l'Évêque, en surplis, qui porte lui-même le bénitier et le goupillon, car les quatre autres enfants de choeur sont occupés à tenir au-dessus de sa précieuse tête un dais chiné or et blanc et à lambrequin doré. Cela tient temporairement le Portenron dans l'ombre; mais ne vous y fiez pas, il est toujours prêt à bondir, de son verbe ironique, pour repousser les ténèbres. Ne vous fiez pas non plus à cette démarche laborieuse, à ce corps malade, penché à droite et en avant, à cette lippe boudeuse et à cet oeil nonchalant qu'il promène sur les êtres comme un jugement divin; au fond de cet Évêque crevassé, il y a un coeur qui saigne pour la rédemption de ses ouailles.

Derrière l'Évêque, marchant deux par deux, suivent d'abord les enfants qui ont compris ce que l'on attend d'eux: ils sont sages comme les images que Monseigneur leur a fait remettre; ensuite ce sont les femmes; et enfin les hommes, se succédant plus ou moins par ordre d'ivrognerie. Ajoutons, par souci de précision, que derrière le dernier des Quatzépaules quelques chiens errants, sans doute par l'odeur alléchés, ferment la marche. Et tout ce beau monde récite, jusqu'à la nouvelle croix de chemin, des *Je vous salue Marie*, des *Notre Père* et des *Gloire soit au Père*. Puis, pendant que chacun trouve sa place autour de la croix, on entonne un *Je crois en Dieu* qui se termine dans une formidable confusion. L'oubli est la faculté de ne pas avoir de mémoire, dirait Dieudonné.

Le silence qui suit est sévère. Le Portenron aussi qui sort de sous son dais doré en fronçant les broussailles.

(Quand le ciel veut parler aux êtres de la terre, il trouve le moyen de les faire taire.)

Puis, sans doute attendri par la considération de la foule, se laissant peu à peu gagner par l'émotion, et par l'occasion de faire à la fois preuve de bienveillance et d'éloquence, il accroche un léger sourire à son visage de fouine, respire à fond et expulse un grand cri bossuetien.

— Jalousie! Jalousie! Sois bénie, sois bénie.

(Moi, je suis dans un coin, assis sur un bidon, et toi, ma cousine, tu es là toute proche. Ma main sur ton bras blanc te donne des frissons; tu dis que ça te fait de la peau de sacoche!)

Mis à part les enfants de choeur qui en ont l'habitude, le reste de l'assistance demeure interdite devant ces stupéfiantes inflexions de voix. On n'a encore rien entendu!

— Malgré ton infortune et malgré tes soucis, tu n'as pas oublié, en ce beau jour de fête de notre saint patron, d'inviter ton Évêque.

Suit un long sermon; un très long sermon, qui engourdit jusqu'aux corneilles sur les pagées. Il est question d'à peu près toutes les sortes de péchés, capitaux et capiteux, véniels et vénaux. Nommez les vôtres, il y a un passage qui vous concerne. Le ton est celui de la mise en garde et de la menace.

De temps en temps, une voiture passe qui les empoussière tous davantage. On ferme les yeux; le Portenron tousse. Et le sermon continue. Quinzième minute: conclusion au chapitre sur les péchés capitaux.

— Gare à la gourmandise, à l'orgueil et l'envie qui vous feront gonfler... au-delà du permis! Tout comme l'avarice et la verte colère, et la luxure aussi, vous le savez, mes frères...

Soudain, un drôle de bruit de fond commence d'agacer Monseigneur. Il y a un poumonneux qui râle en quelque part, ou quoi? Une marmotte, peut-être? À moins que... Eh oui! c'est bien ça: il y a quelqu'un qui ronfle! Pendant le sermon de l'Évêque Portenron! Il y a quelqu'un qui dort debout! C'est bien pour dire...

— Mais il dort, celui-là! Réveillez-le, baptême!

Heureusement qu'une camionnette de pèdleur passe à cet instant et enterre le juron de l'ecclésiastique sous un concert pour Elvis, ustensiles et chaudrons! À la suite de quoi une voix traînante, venant de l'autre côté de la route, sort de la poussière et glisse lentement sur la foule jusqu'au sermonneur.

— Vous l'avez endormi, réveillez-le vous-même.

Tout le monde sait dans le pays qu'on ne défie pas impunément un de Portenron, ni un évêque; donc moins encore un Evêque de Portenron. L'amour-propre n'est pas exclusif aux laïcs. Quand même! Monseigneur explose littéralement. Il fait vibrer le fil barbelé des clôtures de sa voix épiscopale et éjecte le dormeur de son rêve; le cauchemar, pour celui-là, est de ce côté-ci du sommeil.

— Des péchés capitaux, quel est celui qui reste? Le plus insidieux: j'ai nommé la paresse!

Puis il continue sur sa lancée de tout à l'heure.

— Dieu les punira bien tous ces menteurs, fraudeurs, voleurs, blasphémateurs, profiteurs, batailleurs...

— Et pi les beaux parleurs!

C'est Dieudonné, eh oui! qui récidive, le visage caché derrière sa grande main poilue.

— ...ravaudeurs, tapageurs, courailleurs et buveurs.

— Pour moi, il a pas l'heure!

Les engagés s'échangent les montants de leurs gageures pour oublier le dernier mot de l'Évêque. Mais celui-ci ne tarde pas à les rattraper. Le soleil baisse moins vite que les sermonnés; il frappe aussi moins fort que le sermonneur.

— Que vous le fabriquiez ou que vous l'achetiez, l'alcool est, mes amis, un mal qui vous enlise. Il n'y a qu'un autel (hôtel) qui pour vous doit compter et pour tout Jalousie: c'est celui de l'église.

Les hommes, de temps en temps, vont se soulager. Cinquantième minute. Il est question de coups de marteau sur le pouce.

— Ne me blasphémez pas, vous a dit le Sauveur; n'oubliez pas ces mots, même dans la douleur.

Un Crève-la-Patte s'approche des engagés, sans doute poussé par d'autres conspirateurs inquiets. Dieudonné dit plutôt des constipateurs. Ces gens-là, de toute évidence, s'inquiètent de ce que les acteurs d'une certaine vengeance que tout le monde attend, Adélard Baptisept et Joël Gros-Menton, ne soient pas là.

— Dis-moi donc, Dieudonné: où sont les Gros-Menton?

— On les a invités; à savoir s'ils viendront...

Les supporters des Chatelais et les ennemis des Gros-Menton s'entendent pour dire que ce n'est certainement que partie remise, tandis que ceux que l'orgueil de Délard écorche depuis tant d'années commencent à se demander publiquement si les Baptisept ne se seraient pas fait clouer le bec.

Soixantième minute. On en arrive enfin à la croix D'Adélard. Le donateur, sur sa grande galerie, va manquer ça: il dort depuis plusieurs minutes, déjà, sous son chapeau de paille.

— La croix de tempérance est pour tous les pécheurs. Or, vous direz ces mots, en passant devant elle: "Salut, ô bonne croix! La croix de mon Sauveur; garde-moi du péché et conduis-moi au ciel." Et faites en même temps une génuflexion, dites quelques prières et des invocations.

Les engagés, vous savez qui dit souvent les enragés, voient bien le parti que Florestine pourra tirer de ces mots. Et Dieudonné donc!

— Et n'oubliez jamais que le meilleur moyen pour s'adresser à Lui, c'est encore la messe. Vous pouvez les payer aux Dames patronnesses.

À ces mots, trois prieuses bien engraissées commencent de circuler dans l'assistance en exigeant des dons. Non: pas de poules, seulement de l'argent. On ne fait pas chanter un évêque avec des poules!

Soixante-dixième minute. Au grand désespoir de tout le monde, la cérémonie n'est pas encore terminée.

— Bon. Nous allons bénir cette croix de chemin.

Les femmes se déhanchent, les hommes ont mal aux genoux; les enfants sont insupportables. Heureusement que les trois blonds balloures ont poussé leur randonnée dans la Huit, poursuivis par les chiens errants...

Ici, Monseigneur sort de sa poche son vieux *Rituale Romanum* et se met à le feuilleter nerveusement. Page 381, *Benedictio Crucium*; page 245, *Benedictio novae Crucis*. Il ne sait plus. Ça murmure fort autour de la croix d'Adélard.

La patience a des limites; et puis tout le monde a faim, d'autant plus que le vent pousse jusqu'à la croix, quel martyre! l'arôme des tartes chaudes de Florestine que Léon commence à distribuer sur des tables de fortune, à cinquante pas de la croix de chemin! Ça c'est de la tarte!

— Adjutorium nostrum in nomine Domini.

L'Évêque, ici, trempe à trois reprises son goupillon dans le bénitier d'argent et asperge la croix noire à chaque réplique de l'enfant de choeur, qui suit pareillement dans le *Rituale Romanum*.

— Qui fécit caelúm et terrám.

L'accent laisse à désirer; l'enfant de choeur a aussi l'odorat fin et l'estomac creux. La foule a un long borborygme.

— Dómine, exáudi oratiónem meam.

— Et clamór meus ad te veniát.

— Dominus vobíscum.

L'assistance pense que c'est là le signal de la fin; la réponse surgit avec enthousiasme.

— Et cum spíritu tuo.

Mais non! le cérémonial n'est pas tout à fait terminé: le bon Évêque enchaîne aussitôt avec un retentissant Orémus, qui plonge l'assistance dans un long soupir exaspéré. Mais Monseigneur aussi a faim; il se lance donc à fond de train dans une oraison que nul n'a le temps de reconnaître. Le latin se met à débouler; on n'en saisit que des bribes... Rogamus... mine... potens... il se disloque, se déforme... éris... gna... cis... ut... média... se travestit même... ária... máno... tas... nórum... et se pervertit... per... féctus... red... márum... les mots éclatent et disparaissent... sol... pro... téla... des syllabes s'éclipsent... jácula... córum... certaines, quelques-unes seulement, reviennent prendre une place qui est la leur... tum... num... strum.

Le vieil Évêque penché donne du coude à l'enfant de choeur, qui crie Amen presque malgré lui. Tout le monde manifeste sa joie; on se congratule, se complimente; on s'embrasse comme au Jour de l'an. Les engagés en profitent pour accoster les filles du village. Le pauvre Aimée, lui, regarde tourner ses pouces entre ses paumes, tandis que la cousine donne des petits coups de pied sur le bidon. Mais tout cela ne dure que quelques secondes. Orémus, crie de nouveau Monseigneur.

Quatre-vingt-dixième minute. Le latin reprend sa dégringolade... dic... cru... cem... puísti... des phrases déménagent... um... testá...num... débarquent là où on ne les attend pas... asti... passióne... stórem... ti... débat... le sens fuit, comme un robinet... vari... minis... li... titi... tiónem... déborde, se répand, s'échappe... tunc... aspergens... ista... cru... mine... la foule ne comprend rien, mais cela n'est pas nouveau... tris... fílii... ritus... ancti... or... tésq... elle ne perçoit la différence que dans le ronronnement général... tas... ces... ant... tátem... poris... et dans une soudaine brièveté... tum... num... strum. Autre coup de coude, autre amen.

Ici, la foule décide unanimement et irrévocablement que la cérémonie est close. On se lance de tous côtés dans le carré des Baptisept à l'assaut des tartes de Florestine. Le latiniste, lui, reste là, sous son dais doré, entouré de ses seuls enfants écoeurés, à chanter le Psaume 83: Quam dilecta tabernacula tua... Il chante comme un trente-trois tours tournant à soixante-dix-huit!

* * *

Ce qui va suivre nous échappe quand même un peu. Il n'est pas facile en effet, surtout pour des enfants, comme Aimée, Ti-Croûte et la cousine, de vivre la fête en même temps que de l'observer avec attention. D'autant plus que cela durera jusqu'au matin. On parle donc d'une quinzaine d'heures de fête, sans interruption. Cela demande, on en conviendra, de la diversité et une bonne participation.

Tout le monde commencera par s'empiffrer gaiement, jusqu'au ras de la glotte, dira Dieudonné. Les danses modernes le disputeront aux danses traditionnelles, le tourne-disque aux musiciens du village. Les "enragés" feront danser les vieilles d'abord, puis les mères et enfin les filles à marier, qu'ils ne marieront d'ailleurs jamais. On fera, sur la pelouse, des jeux de société, au début dans la lumière et plus tard dans l'ombre, des jeux innocents suivis d'autres qui le seront de moins en moins. Aux derniers instants de la brunante, on allumera le feu de la Saint-Jean, ce qui attisera, si je puis dire, davantage les passions. La grosse noirceur venue, la croix disparaissant du paysage et des pensées, on sortira les flasques et les bouteilles; d'autres iront rouler dans les pâquerettes avec les filles des buveurs. En partant, vers minuit, avec ses enfants de chœur qui auront été malades, Monseigneur de Portenron, un peu pompette, ne retrouvera pas son dais. Qui sait quels péchés auront été, n'est-ce-pas, commis sur ces dorures? Après ce départ, après que Florestine, brisée par la fatigue, aura été se coucher et qu'on aura endormi les plus jeunes enfants dans les lits des engagés, les conteurs et les chanteurs aborderont une région plus grivoise de leur répertoire. *Les Montagnes de la bonne femme Giroux, la Confession de Matamain*, le *Je vous salue Baril, Ti-Marde chez le député*, tout y passe. S'ajoutent évidemment à cela les inévitables histoires de commis voyageurs, les p'tites vites scatologiques, les blagues à double sens. La seule règle de ce genre de fête, c'est la gaieté. Quoi que l'on fasse, quoi que l'on dise, tout se prolonge dans le rire, les grossièretés, les blasphèmes, les travers même de chacun. Tous rient et tous font rire. Il n'y a pas de fou de village; c'est le village qui est fou.

> *(Revenez donc un soir, je vous dirai le fin de tout ce qui advint entre soir et matin, entre le premier verre et la chanson finale. Le solstice d'été, ici, fait carnaval.)*

Au petit matin, on se soulagera par les deux bouts dans tous les coins du carré d'Adélard. Qu'importe. Le tapis est grand. La fête aussi l'aura été.

Adélard, pour tout dire, bougera très peu de sa berçante. Comme un roi sur son trône, il laissera plutôt venir à lui, un à un, tous ceux qui pensent compter dans le village et qui croiront avoir quelque chose d'important à lui confier ou à lui demander. Évidemment, rien de tout cela ne le sera, important. Tout sera futile; ce ne sera là qu'un jeu. Tous y passeront, sur la galerie d'Adélard, ou presque. Tous, sauf les Gros-Menton. Et voici pourquoi...

Revenons d'abord aux minutes qui suivent le Psaume 83. Monseigneur est fatigué et il a faim, on s'en souvient. Il a quelques raisons d'être mécontent de ses ouailles. Mais il est, comme on le sait, bon, discret et de bonne compagnie; sans compter qu'il a des manières. Il se dirige donc, après s'être rempli deux bonnes assiettes, vers la galerie des Chatelais où Délard, qui vient de se réveiller, se berce à qui mieux mieux pour faire rire ses petits-enfants.

C'est l'Évêque qui parle le premier après avoir déposé les assiettes combles sur ses genoux, qu'il a d'ailleurs pointus. Il ne mange pas tout de suite, le saint homme!

— Adélard Chatelais, je te salue bien bas; tu as fait preuve, ici, d'esprit de charité. Tu as été bon prince en ne te vengeant pas, comme avait prétendu la faune du comté. Ça te sera rendu au Jugement dernier. J'y verrai. (Un temps.) Si tu veux, tu seras marguillier.

Adélard est un homme droit, mais un peu soupe au lait. Qu'une parole ou un geste lui déplaise et il rue tout de suite dans les brancards. Or, ce qu'il déteste au-delà de tout, c'est qu'on le mésestime ou qu'on le flatte. Les deux à la fois, ça le rend mauvais.

— Mon père, tu sais, curé, était nommé Fier-Pet. Le tien était quêteux; c'était une vraie blette! Si je suis resté fier, toi, tu es resté blette. Tu m'endormiras pas avec ton alphabet! Tu cherches un marguillier depuis des mois, torrieux! Mais je veux bien quand même y penser quelque peu...

Le Portenron, pas plus fier, pas plus habile, pas plus clairvoyant qu'il ne faut, se satisfait de cette réponse. S'il n'avait pas déjà commencé à se gaver de pâtés, de patates pilées, de tarte noyée dans la crème, on pourrait dire qu'Adélard lui a cloué le bec.

Mais l'événement qui nous intéresse n'intervient que quelques minutes plus tard, à l'instant précis où un petit cumulus se glisse entre le soleil et le pays, au moment aussi où le Portenron s'apprête à engloutir un carré aux dattes. Ce qui se passe, en fait, c'est qu'une petite tache noire, si longtemps attendue par Adélard, apparaît tout à coup dans la montée. L'Évêque n'en revient pas.

— C'est Joël Gros-Menton qui s'en vient sur la route. Je vois aussi sa femme et ses enfants derrière. T'es a donc invités, ceuz-là! Y a pas de doute: cette fois, Adélard, t'as le droit d'être fier!

Ici, il faut voir Adélard Chatelais qui a interrompu le mouvement de sa berçante et qui fixe la portion nord de la montée, celle qui vient de l'Ontario, avec un très léger, un si léger sourire accroché à la face! Il cligne un peu des yeux. Sa main est agitée d'un petit tremblement inhabituel. Le Portenron reconnaît là les indices du plus profond repentir, comme quoi sa naïveté n'a d'égale que sa crédulité!

Joël Gros-Menton a une bonne cinquantaine de pas d'avance sur le reste de sa famille; il en a d'ailleurs toujours été ainsi. On dirait qu'il sonde, qu'il scrute, qu'il interroge la montée et la nouvelle croix, comme s'il flairait un piège. Il le flaire peut-être, mais il ne le devine certainement pas. C'est trop subtil pour lui. Oui, de fait, il y a bel et bien un attrape-Gros-Menton au bout de cette histoire.

Le vieux Joël, comme on l'appelle familièrement, est un petit homme sec, au regard grimaçant et aux épaules pointues. Sa démarche est saccadée et sa parole cassante; cassante et incessante. Il est trop loin pour que l'inquiétude qui l'habite transparaisse, mais on l'imagine facilement. Sa petite voix rauque se perd dans l'enjouement de la foule qui s'empiffre. Le vieux Joël s'approche de la croix comme s'il craignait qu'elle lui explose en plein visage. Il ne voit d'ailleurs qu'elle. La maison des Baptisept, où il se rend assister à un feu de la Saint-Jean, et son animation, pour une fois ne le préoccupe pas.

On prend un coup fort, chez le vieux Joël; une croix de tempérance sur la montée qui mène du village jusque chez les Gros-Menton n'est évidemment pas la bienvenue. Encore moins lorsqu'elle offre cette dimension. Personne, chez les

Gros-Menton, ne pourra désormais se rendre au village sans d'abord passer devant cette tor...pinouche de croix! Cela, Délard l'a toujours su. Voyez plutôt...

Le vieux Joël est devant la croix. Il se frotte le menton; évidemment, cela dure assez. Le vieux est chrétien dans la tradition; il n'a donc pas le choix: il doit répondre à ce souvenir du petit catéchisme devenu réflexe et faire une génuflexion. De fait, il n'est pas contre cela; il veut bien consentir à tout ce qui pourrait camoufler, aux yeux de Dieu, ses fautes, ses penchants douteux, ses chamailleries, et le rapprocher du ciel. Il fait une lente génuflexion... Or, c'est à l'instant précis où le genou, ou plus précisément l'infini petit bout de la fine pointe du genou de Gros-Menton effleure le gravier que le regard de celui-ci rencontre, sous la traverse gauche de la croix de chemin, la silhouette roublarde d'Adélard Chatelais, dit Fend-le-Vent Baptisept, qui se berce mollement sur sa galerie. Le génuflecteur se rend compte trop tard qu'il a été eu, comme dira Dieudonné. Car le pire survient ici, dans l'esprit, le coeur et tout le système du vieux Joël, lorsque Délard lève triomphalement, quoique avec réserve et retenue, son grand chapeau de paille en signe de salutations rendues!

La victoire de Délard est à ce point manifeste et incontestable que même le Portenron vient de s'en rendre compte. Demain, ce sera le vieux Jos; le surlendemain, les gens du village.

L'Évêque s'empourpre, si je puis dire. Il a déjà un début de sermon sur le bout de la langue. Délard, habile, repose délicatement son chapeau sur sa tête blanche et coupe juste à temps l'élan d'indignation du Portenron.

— J'y ai bien réfléchi. Puisque vous insistez, ben, ma réponse est oui. Je serai marguillier.

Le Portenron ravale son homélie. Un marguillier à Jalousie vaut mieux qu'une réprimande à Baptisept. Mais cela ne lui enlève pas son exaspération. Ce qui met le plus Monseigneur hors de lui, et que dire du vieux Joël et de ses Gros-Menton! ce n'est pas tant que Fend-le-Vent ait encore gagné sur tous les plans; c'est plutôt que cette vengeance n'a pas fini de se réitérer. Désormais, chaque fois qu'un Gros-Menton, forcé en cela par les préceptes de l'Église, posera le genou sur le gravier épars de la montée, ou qu'il lèvera simplement son chapeau devant la croix des Baptisept, il se verra rendre son salut par Délard ou quelqu'un d'autre de sa maison; et il recevra ce témoignage avec tant de colère, dit la légende, tant de rogne, que le sol tremblera sous son genou ou sous son pied jusqu'aux trois autres coins du village et en son coeur de pierre...

(Pourquoi toujours chercher, manie indélébile, à mettre un point final au seul endroit possible?)

Montréal, janvier-avril 1984

Les vertus incestueuses de la mère patrie

Madeleine FERRON

L'humour est une disposition particulière de l'esprit qui désamorce l'angoisse, la douleur, la banalité, la gravité, en dégageant, des événements et des êtres, les aspects risibles qui les rendent supportables.

Madeleine Ferron est née à Louiseville, mais se refuse à dire en 1922 par discrétion pour ses amies. Après des études incomplètes et insuffisantes dans trois pensionnats, elle entre en apprentissage de la vie dans la Beauce. Elle y demeure trente-deux ans. Elle en fait son pays d'adoption, y puise son inspiration. Il en résulte 8 livres et 3 enfants.Elle y devient une contemplative des sentiments humains et de la nature. En plus de ses activités littéraires, elle fait partie de nombreux organismes qui ont en commun de protéger et promouvoir le patrimoine culturel, architectural ou naturel. Elle y met beaucoup de zèle, comme si le Québec était sa propriété personnelle.

Livres de fiction:

Coeur de Sucre, contes. Éditions HMH 1966.

La Fin des Loups-garous, roman. Éditions HMH 1966.

Le Baron Écarlate, roman. Éditions HMH 1971.

Le Chemin des Dames, nouvelles. Éditions La Presse, 1977.

Histoires Édifiantes, nouvelles. Éditions La Presse, 1977.

Sur le Chemin Craig, roman. Éditions Stanké, 1983.

J'étais un jeune homme de condition modeste, mais d'apparence trompeuse. L'ambition de ma mère m'avait influencé: j'avais des manières un peu précieuses qui n'étaient pas celles de mon entourage. Après la mort de son mari, ma mère avait constaté que le désespoir a un pouvoir aliénant. Elle réussit bravement à l'inverser pour stimuler son imagination et concrétiser ses désirs.

Elle ébaucha des projets. Non pour elle évidemment, mais pour ses huit enfants. Projets précis, difficiles, irrévocables: elle dénicherait de bons partis pour ses filles et ses fils auraient des diplômes, peu importe lesquels. Son ignorance lui évitait l'embarras du choix et l'obligation d'avoir à juger des capacités et des aptitudes de chacun. Son objectif était que nous franchissions, un jour, le seuil du Grand Séminaire ou de l'Université.

Une fois refermées sur nous les portes de ces honorables institutions, une métamorphose presque magique aurait lieu. Ses fils pauvres et chétifs se transformeraient en hommes du monde accomplis et en partis recherchés. L'Université, pour ma mère, était un entrepôt regorgeant des vertus qu'elle admirait: les belles manières, l'éloquence et l'érudition. Une fois à l'intérieur du bâtiment, nous n'aurions qu'à nous servir, comme des poulains au râtelier d'une écurie.

Elle mit tout en oeuvre pour nous en permettre l'accès. À force de courage et d'ingéniosité, elle doubla le rendement de la ferme. En rognant quelques heures de ses nuits solitaires, elle devint la couturière des femmes de notables du village.

En stimulant son esprit de famille, elle en vint à intéresser un vieil oncle riche à l'avenir de mes frères.

Je vous ferai grâce du cheminement de chacun. Quelques-uns bifurquèrent avant d'atteindre le seuil béni. Ce n'était évidemment pas la faute de ma mère.

Elle dirigea nos études primaires avec une fermeté spectaculaire. Diriger est une respectueuse exagération, puisqu'elle était inculte. Disons qu'elle se réserva le contrôle du rendement de chacun en analysant le contenu de nos bulletins. Les chiffres, ça ne trompe pas, répétait-elle avec jubilation ou fureur.

Comme nous travaillions avec une apparente application, certaines notes lui semblaient injustifiées. Pour en discuter, elle consulta le curé qui s'intéressa aussitôt à notre sort. Nous étions, j'en conviens, une pépinière de vocations religieuses, mais son prosélytisme fut discret. Sa sollicitude m'émeut encore: je partis pour le Séminaire de Québec revêtu d'un costume de serge noire taillé dans une de ses soutanes. Le costume était confortable, mais m'aida peu à vaincre ma timidité. Par ailleurs, il me permit de développer cette sorte de courage qui s'apparente à l'instinct de survie.

Mon application à suivre les cours et à mémoriser les matières scolaires confinèrent à l'héroïsme. Je terminai mes humanités avec des mentions d'excellence. Les larmes d'attendrissement de ma mère accompagnèrent les félicitations du curé.

Quand je lui annonçai que j'étais admis à la Faculté des Lettres, ce dernier reçut la nouvelle avec étonnement mais résignation. Il n'inquiéta pas ma mère, ne releva pas devant elle l'incongruité de ce choix si insolite pour l'époque.

Mes succès subséquents compensèrent sa frustration d'avoir raté une vocation sacerdotale.

Quand je venais au village, chez ma mère, j'allais au presbytère causer de mes cours. Le curé partageait mon enthousiasme pour la littérature française, pour les auteurs étrangers que je découvrais. Évidemment, j'omettais de dire ma passion pour le cinéma français et pour les séduisantes actrices telles Edwidge Feuillère et Danielle Darrieux...

Je terminai mes études avec le succès qu'on attendait de moi. Ma mère exulta. Je ne saurais dire si c'est à elle ou à moi qu'il voulut plaire, mais le curé entreprit les démarches spéciales de l'époque. J'obtins ainsi une bourse pour aller poursuivre mes études à Paris. Ce fut un des moments les plus palpitants de ma vie. J'éprouvai des émotions extrêmes: de l'effarement à la jubilation.

Ma mère, à l'aéroport, sembla aussi être dans le même état d'esprit. Son regard angoissé me fixait avec une intensité troublante, puis un faible sourire la rendait subitement radieuse. Je le remarquai sans poser un geste ni dire un mot pour la rassurer. J'étais énervé. Je tâtais la poche où j'avais rangé mon passeport, puis l'endroit où j'avais cousu de l'argent à l'intérieur de la doublure de mon veston. Je répétais mentalement le numéro d'envol de mon avion, celui de la barrière où je devais me présenter. Quand je fus enfin assis dans l'avion, je n'éprouvai pas l'angoisse du premier décollage ni celle de la séparation et de ce saut dans l'inconnu. Au contraire, à mesure que nous prenions de l'altitude, mon exaltation augmentait et j'y restai suspendu dans une sorte d'hébétement heureux qui dura la moitié de l'envolée. Je me voyais traverser l'aéroport d'Orly et les rues de Paris comme si j'étais devenu figurant dans les films de Carné et de Renoir. Je me répétais les répliques célèbres de Jouvet, de Guitry. Puis j'arpentais les mêmes rues que les héros de mes romans préférés. Puis j'irais repérer les maisons où s'étaient consumées des liaisons clandestines. Je me faufilerais jusqu'aux fenêtres pour assister à des ébats coupables. J'en étais rendu à ces troublantes évocations quand je ressentis un choc terrible: j'étais puceau comme on ne saurait plus l'imaginer. J'avais fait des études universitaires brillantes certes, mais par rapport au monde érotique, j'étais analphabète. Ce fut la stupéfaction.

J'étais subitement conscient et outré des lacunes de mon éducation. J'en voulus au curé, à ma mère, à mes professeurs. J'étais effaré du puritanisme des collèges, des amis que je m'étais choisis, de la réserve pudique des jeunes filles que j'avais connues. Je blasphémais copieusement à leur intention quand tout à coup s'opéra en moi un changement aussi brusque qu'inattendu. Je me sentis devenir béat de contentement. Nous devions être rendus au mitan de l'océan. Je changeais de versant. J'eus subitement la révélation de cette chance que j'avais de n'avoir pas été plus tôt initié. J'échappais ainsi aux séquelles d'une mauvaise formation première. J'entendais le professeur d'éléments latins répéter qu'un cours primaire raté hypothèque sans rémission le cours classique. Quel soulagement je ressentis. Mon ignorance crasse devenait une virginale pureté.

En France, j'allais accéder, dès ma première expérience, à l'Art d'aimer. J'allais en avoir la révélation comme Claudel, derrière un pilier d'église, eut celle de la Foi. La réputation des Françaises convergeait, dans mon esprit, vers une généralité qui ne laissait place à aucune incertitude. Je ne doutais pas non plus que je puisse être un sujet de convoitise. Ma mère, le curé, les filles que je rencontrais le samedi soir m'en avaient convaincu. L'une insistait sur la carrure de ma mâchoire, l'autre sur le velouté de mon regard ou l'épaisseur de ma chevelure d'un noir bleuté. De ces témoignages, j'avais conclu avec une satisfaction rassurante que j'étais attirant.

Quand je descendis à Orly, j'avais l'aplomb de quelqu'un qui reconnaît un lieu familier. Ma timidité naturelle reprit le dessus quand j'arrivai à l'hôtel, mais, franchi le seuil de la chambre que l'ambassade canadienne m'avait réservée, je retrouvai mon enthousiasme. Le décor était charmant, le lit confortable, et la rue plus attirante encore. Je décidai d'une façon impulsive que j'allais sur-le-champ aller à la rencontre de mon destin.

Je m'habillai avec soin et choisis, pour mon premier dîner, un célèbre restaurant du Bois de Boulogne dont j'avais retenu le nom au cours de mes lectures. J'avoue que j'en fus paralysé de timidité quand j'en franchis la porte. La somptuosité des lieux me confondit aussi de remords: je grevais mon budget de la semaine. Tant pis. Je commandai au hasard une bouteille de vin sans choisir le moins cher pour sauver ma dignité. J'avais déjà assez bafouillé en annonçant au maître d'hôtel que j'étais seul et n'avais pas retenu de table.

Je me contrôlai de justesse pour ne pas vider mon verre d'un trait. Bientôt, je sentis qu'une douce chaleur m'envahissait progressivement. Juste assez pour n'avoir plus à m'inquiéter de l'aspect financier de mon expédition. Plus le niveau de ma bouteille baissait, plus celui de mon contentement montait. Je touchai le velours de ma chaise pour me convaincre que je ne rêvais pas. Je commandai des quenelles sans trop savoir ce que c'était et j'entrepris une inspection méthodique des lieux. Aucun détail ne m'échappa: l'épaisseur du tapis, les candélabres en verre taillé sur le buffet, l'argent massif des plats de service.

La réflexion des tables dans l'immense miroir encadré d'une moulure dorée me permit une observation tout aussi minutieuse des femmes que j'y voyais. Elles étaient distinguées, élégantes, mangeaient et buvaient avec des manières exquises. J'observai avec ravissement quelques costumes Chanel, avec chaînettes en or de rigueur. Je reconnus le long rang de perles sur la classique robe noire. Tout se plaquait sur mes réminiscences littéraires ou mes souvenirs cinématographiques avec précision et exactitude. J'éprouvai bientôt un plaisir si intense que je mis plusieurs secondes à retrouver ma contenance. Je sentais déjà obliquer vers moi le regard moqueur des deux garçons de table, inactifs pour le moment, la serviette pliée sur l'avant-bras comme des servants de messe. J'admire encore avec quelle rapidité je me ressaisis et avec quelle hardiesse je levai l'index pour commander une deuxième bouteille de vin. Le garçon en devint tout de suite obséquieux. Il s'inclina vers moi assez bas pour que je puisse lui demander sans élever le ton de ma voix si la femme attablée tout près de moi ne serait pas la fille d'Edwidge Feuillère. C'est Madame Feuillère elle-même, murmura-t-il. Je fus bouleversé. Je ne saurais dire si c'est l'émotion ou la griserie du vin qui me donna spontanément

137

l'audace de faire porter à Madame Feuillère un billet sur lequel j'exprimais ma respectueuse admiration. Elle lut rapidement, jeta un regard dans ma direction, me sourit délicieusement puis fouilla dans son sac. Le garçon revint vers ma table, s'inclina plus profondément encore et me remit un billet de théâtre. À l'endos elle avait griffonné qu'elle m'attendait dans sa loge, après la pièce. Je lus une première fois avec fébrilité, puis relus une deuxième fois avec concentration. Elle jouait ce soir-là *Lucrèce* de Jean Giraudoux. J'étais profondément troublé, en même temps que perplexe. J'hésitai sur l'attitude que je devais prendre. Je dus y mettre beaucoup de temps. Quand je relevai les paupières, elle était partie. Dépité sur le coup, je m'absorbai tout aussi rapidement dans des réflexions contradictoires. Se pouvait-il que je lui aie plu à ce point? Elle m'avait jaugé d'une façon si rapide. Se pouvait-il que le destin se manifestât si rapidement en la personne de cette comédienne admirable? Elle était plus âgée que moi, c'était évident, mais est-ce qu'on boude la patine de l'encadrement d'un Rembrandt? Par ailleurs, cette invitation était peut-être coutumière, une manifestation de gentillesse. J'essayai de m'en convaincre, sans toutefois arriver à exclure de mon esprit mes références littéraires sur les déchaînements de la nymphomanie ou les caprices impérieux des coups de foudre. Je fus tout aussi ambivalent tant que dura la pièce. Puis après, quand j'entrai dans la loge, la fatigue du décalage horaire de la traversée avait obnubilé mon esprit. J'étais comme enfermé dans un cocon soyeux qui s'embaumait de fleurs et résonnait d'exclamations. Appuyé au mur près de la porte, je répétais en sourdine: Vous êtes éblouissante...votre entrée au troisième acte était fulgurante...Plus on l'embrassait, la complimentait, plus je m'engourdissais, non sans remarquer,comme dans un songe, l'assurance des gestes de la comédienne.

Avec une simplicité étonnante, elle s'était laissé enlever sa robe de scène. Elle continuait de recevoir les fleurs et les hommages, revêtue d'un splendide déshabillé garni de marabout. Médusé, je ne remarquai pas sur-le-champ que la loge peu à peu se vidait de tous ces exécrables personnages qui l'avaient envahie. Je demeurais là, immobile et muet, sous le coup de la fatalité. Advienne que pourra. Les paupières à demi closes, je me répétais: Advienne que pourra! comme le leitmotiv de mon drame personnel, celui qui allait bientôt se jouer. J'ouvris les yeux. Elle était en tenue de ville. Un homme lui couvrait les épaules d'une longue cape noire. Elle s'avança vers moi, rapidement me sembla-t-il. Elle me tapota la joue de sa main gantée. "Comme c'est dommage", dit-elle d'une voix charnelle et basse en me fixant d'un oeil rêveur. Elle demeura silencieuse et immobile devant moi. Je sentis que j'allais connaître les commencements de l'extase quand l'image devant moi se brouilla. Le monsieur s'impatientait. Cette contrariété déclencha chez elle une suite de courts mouvements délicieux. Elle rabattit la voilette d'une mignonne toque de velours. Elle prit le stylo dans la pochette de mon veston, m'arracha, pour ainsi dire, le programme que je tenais serré dans ma main. Elle y griffonna une adresse en me disant: "Venez passer le dimanche à ma maison de campagne, c'est tout près de Paris, vous verrez." Elle me fit un grand sourire. Mais je me demande maintenant si je n'entendis pas derrière la porte refermée quelques éclats de rires. La mémoire a quelquefois de ces méchancetés! Heureusement, sur-le-champ, je ne pouvais rien percevoir. J'étais tout entier accaparé par les sensations multiples et ambiguës que j'éprouvais. Je sortis de la loge, exténué.

Je me retrouvai sur le trottoir. J'humai l'air comme un agonisant pompe l'oxygène qu'on lui offre. J'étais prêt de m'évanouir... Quand j'eus retrouvé l'usage de mes facultés, ma première réaction fut de me féliciter de ma chance. Dans l'état où j'étais, comment aurais-je pu sortir victorieux d'un tête-à-tête amoureux? Je venais d'échapper à une humiliation qui aurait fait le désespoir de toute ma vie. Quelle aventure!

J'avais deux jours devant moi pour refaire mon plein de vitalité et me préparer mentalement à passer mes examens galants. L'oral et l'écrit en même temps! Ce rapprochement métaphorique me fit penser qu'il était tout à fait normal que je reporte à plus tard la planification de mes études. Puisque le destin avait choisi Edwidge Feuillère pour changer l'aiguillage de ma vie d'homme, je n'allais pas injurier la Vie en me refusant.

Quelle chance! me répétai-je durant ce repos que je m'imposai sans réussir toutefois à contenir les débordements de mon imagination. La gamme d'émotions que j'éprouvai ne fut pas sans me surprendre.

Cet inconnu que je portais en moi depuis vingt-cinq ans comme une momie déchirait sauvagement toutes les bandelettes qui l'entouraient. Je le sentais devenir étonnamment vivant, grouillant de désirs extravagants, de fantasmes bouleversants. Heureusement que je ne connaissais de Sade que quelques morceaux d'anthologie! Je me calmai bientôt et me rassurai en pensant que madame prendrait certainement l'initiative de l'aventure. Je continuai quand même à faire l'inventaire de mes connaissances livresques et à analyser les impulsions multiples et audacieuses de tous mes sens. J'étais satisfait de penser que je pouvais ainsi prévoir certaines exigences. Mon ambition n'avait rien de celle d'un conquérant, elle se contentait d'essayer de protéger la fierté du conquis.

Quand je pris le train le dimanche matin, j'étais moins exalté, parce que plus conscient sans doute du rôle que j'allais enfin jouer et de mes possibilités personnelles qui, à l'analyse, ne m'apparaissaient pas être sans limites. J'aurais dû apporter des fleurs, pensai-je en regardant les murs de briques des pavillons de banlieue qui déferlaient sous mes yeux. La plaine de la Beauce s'étendit bientôt à perte de vue. La route vint se coller et suivit la voie ferrée assez longtemps pour que j'aie le temps de penser qu'elle voyageait sans doute dans une luxueuse voiture, assez vaste pour transporter toutes les gerbes de fleurs qui emplissaient sa loge. J'aurais eu l'air grotesque avec mes trois branches d'oeillets entrant dans son salon... À partir de ce moment, je fus requis par de romanesques visions. Elle serait nonchalamment étendue sur une peau de bison... je n'arrivais pas à trouver une autre bête, ce qui était aussi ridicule que de m'obstiner à sentir l'odeur de cèdre qui embaumait le feu de la cheminée... Elle était revêtue de son déshabillé bordé de marabout... Je ne pouvais imaginer sans doute qu'elle en eût deux. Les domestiques étaient retournés dans l'aile qui leur était réservée... il y avait un chien de garde, mais elle avait eu la délicatesse de le faire entrer... Le décor était précis, devenait presque familier. Quand même, je sentais un point douloureux à ma nuque: je n'arrivais pas à trouver les phrases convenables, ces formules originales qui, bien que préparées, ont l'accent si touchant de la spontanéité. Comment choisir ces quelques mots simples en même temps que recherchés, poétiques et sincères qui exprimeraient les élans de mon âme sans me couvrir de ridicule, ces quelques mots charmants qui refouleraient ma timidité afin que s'amorce cette conversation intéressante puis passionnante qui, elle, ne me causait aucune inquiétude. Mais l'entrée en matière... Plus j'approchais de ma destination, moins je la trouvais et plus j'en mesurais l'importance. Il y a de ces premières impressions qui ne s'effacent jamais... Il fallait absolument que celles qu'elle ressentirait en me voyant fussent inoubliables... Je décidai finalement de demeurer silencieux, laissant mon regard, mes gestes, mon attitude exprimer les élans de mon coeur, de mes sens, que dis-je, de mon âme tout entière.

Quand je descendis sur le quai de la gare et qu'on m'indiqua du doigt la maison de Madame, je fus de nouveau ivre d'émotion et fou d'inquiétude. Je me dirigeai bravement vers la somptueuse maison qu'on m'avait désignée, le regard braqué sur cette porte où j'allais bientôt sonner et qui allait bientôt s'ouvrir.

Effectivement, je sonnai et la porte s'ouvrit. Toute grande. Un homme hilare s'y encadra. Il tenait une bouteille de champagne à la main. Ça alors! s'exclama-t-il. Puis tournant la tête, il annonça par-dessus son épaule: "C'est le Québécois!"

Je balbutiai: "Madame Feuillère, c'est bien ici?"

— Bien sûr, c'est sa maison, mais elle, elle n'y est pas. "Impossible, a-t-elle dit au téléphone. Mais amusez-vous bien!"

Il me tira vers l'intérieur. Je fus tout de suite entouré. J'avais déjà une coupe à la main. Il y avait plein de monde. Au début, debout près de la table dressée, couverte de victuailles et de bouteilles, je m'empiffrai en constatant que le champagne était un breuvage délicieux. Bientôt, je ne tressaillis même plus au bruit des bouchons qui sautaient. J'étais devenu volubile, fier du succès de mes réparties. Vers le milieu de l'après-midi, j'étais étendu près d'une belle jeune femme, sur le divan, devant la cheminée. Notre conversation devait être passionnante puisqu'elle se poursuivit dans une chambre, à l'étage.

Quand je rentrai, au début de la nuit, avec un couple de Parisiens fort sympathiques, j'étais fin saoûl. Le destin s'était accompli. Je m'en souviens très bien. Mais par qui? Je n'arrive plus à lui trouver un visage.

La danse des atomes et des nébuleuses

Pauline HARVEY

Il m'est absolument impossible de me forcer pour être drôle. Il y a aussi des choses que je trouve comiques et qui ne le sont pas pour les autres, et inversement.

Née au Lac Saint-Jean en 1950. Études en lettres et journalisme à Laval, sans obtenir le diplôme, puis en philosophie à Paris. Poète et romancière. S'est produite lors de nombreux spectacles de poésie sonore tant à Montréal qu'à l'occasion de colloques internationaux. Les revues *Hobo-Québec*, *Mainmise*, *La Barre du Jour*, *La Nouvelle Barre du Jour*, et *Lèvres Urbaines* ont accueilli certains de ses textes. A travaillé comme journaliste et traductrice. Elle a remporté le Prix des Jeunes écrivains du *Journal de Montréal* en 1982, pour ses deux romans: *Le deuxième monopoly des précieux* et *La Ville aux gueux*.

Livres de Fiction

Le deuxième monopoly des précieux, Montréal, Éditions de la Pleine Lune, 1981.

La Ville aux gueux, Montréal, Éditions de la Pleine Lune, 1982.

Un soir que je m'embêtais, j'ai eu tout à coup l'idée de retourner à Paris. Je n'y étais pas allée depuis quatre ans. J'ai emprunté 20$ à tout le monde, j'ai pris le peu d'argent que j'avais en banque et j'ai acheté un billet d'avion; je pensais rester un mois ou deux, on était en novembre. J'ai débarqué chez une copine française qui venait de passer deux ans à Montréal et elle m'a tout de suite trouvé, à République, un petit appartement que possédait un de ses amis. Il n'en avait pas besoin actuellement, il habitait ailleurs, avec la femme qu'il aimait.

J'allais au cinéma, la nuit. À République il y avait un festival permanent de films rock et de westerns, et je m'assoyais dans la petite salle sombre, au milieu de clochards qui venaient roupiller là, d'enfants sales endormis. Le jour, je suivais les cours des philosophes. Ils racontaient des histoires en carreauté, des paradoxes qui tournaient ensuite dans ma tête toute la semaine. Ça m'absorbait complètement, je n'avais pas envie d'étudier les architectures, de contempler les petites places, je déroulais les histoires des philosophes. Exactement comme sur un tissu carreauté dont vous suivriez le dessin des lignes avec le doigt. Vous commencez avec une histoire n'importe où, puis ça coupe, vous obliquez vers la droite ou vers le haut, vous rencontrez une autre ligne ou une autre histoire que vous suivez encore, et puis ça coupe encore, et alors vous tournez à droite ou vers le bas et ainsi de suite, sans fin, vous pouvez aller dans tous les sens, et l'histoire n'a jamais le même sens très longtemps, n'a jamais de sens très longtemps. Je suivais mon tracé carreauté toute la journée;

d'abord une histoire commençait, dont vous perdiez le fil, mais dont certains fragments s'enclenchaient sur une autre ligne perpendiculaire à celle-ci pour former une nouvelle histoire, pleine pendant un quart de pouce ou un quart d'heure jusqu'à ce que vous en perdiez encore le fil, mais dont de nouveaux fragments allaient se joindre à une nouvelle histoire sur une autre ligne perpendiculaire à cette dernière, etc. Et toutes ces histoires étaient aussi intéressantes les unes que les autres, comme autant de théories sur la réalité. Autant de facettes. Je m'assoyais au cours et j'attendais sans presque écouter qu'on voulût bien m'enfoncer tout le tissu dans le crâne. Puis, rentrée chez moi, je le dévidais lentement, comme une bande magnétique que j'aurais maintenant eue dans le cerveau, comme un ruban à mesurer enroulé dans sa petite boîte métallique, je saisissais la petite clenche qui dépasse à l'extrémité et je déroulais le mince ruban devant mes yeux.

Quant aux philosophes eux-mêmes, je pensais qu'ils devaient être complètement fous, embarqués dans des psychoses incroyables et très métaphysiques, des grands catatoniques, astronautes nomades de je ne sais quel désert intergalactique que j'essayais d'imaginer aussi.

Il me semblait qu'ils vivaient presque tous des expériences *post mortem* et très religieuses. Ils avaient cru décéder à quelque moment et ce qu'on voyait maintenant, c'était ce qu'ils faisaient de cette mort. Il y en a un qu'on avait congelé. Comme Walt Disney. Il avait été congelé, selon lui, après une opération sérieuse aux poumons. (Cette histoire, il la racontait après mille expériences décevantes de plateaux, c'est-à-dire mille orgasmes avortés, ou bien il s'agissait peut-être de ces angoisses existentielles qui remplacent parfois l'orgasme et que certains ont appelé la "mort-orgasme", quoi qu'il en soit il semblait y avoir là de quoi délirer.) Donc il était mort, ou plutôt ses amis, voyant qu'ils ne le guériraient pas, avaient décidé qu'il valait mieux le faire frigorifier, en attendant qu'on puisse guérir sa maladie. Alors il s'est réveillé dans sa tombe, son réfrigérateur, et ce que nous entendons maintenant de lui, ce ne sont que des réflexions qu'il croit se faire à lui-même. Il ne sait plus que vous existez. Il croit seulement rêver que sa vie continue. Lorsqu'il s'est réveillé dans son frigo, il a été horrifié de s'apercevoir qu'il pouvait encore exercer une activité cérébrale. Sa vie continue donc, mais plus rien ne va comme avant, son rêve de vivre est un cauchemar, il est devenu une bête de travail, il s'ennuie, etc. Petit à petit, on voit qu'il a pourtant réussi à infléchir le processus de ses cauchemars et à les transformer en rêves assez passables. Il fait des rencontres nouvelles, il découvre de nouveaux concepts. C'est si agréable, finalement, tous ces rêves, qu'il finit par préférer l'existence dans son frigo. Et puis il continue, il est là devant vous au cours, il fait une impression genre "freeze", on dirait qu'il a du frimas autour de la tête et qu'il a froid un peu, et il vous dit tout ce qu'il rêve du fond de son frigidaire.

Il y en a un autre un peu du même genre. Selon lui, il serait cette fois réellement mort et enterré et c'est dans sa tombe qu'il s'est aperçu que la vie continuait alors exactement comme avant, sauf que tout n'était plus qu'images sur sa rétine. Celui-là ne parle que de Dieu, le mot Dieu revient comme un leitmotiv dans ses énoncés. Il croit que Dieu l'a condamné à bosser sa même vie éternellement puisque s'il s'arrête et se révolte, il souffre davantage. C'est l'éternel retour. On apprend que, petit à petit, il a fini par croire qu'il n'était pas seul dans cet univers. En effet, il entendait la voix et les directives d'un dieu. Quand, dans la réalité, vous lui parlez, lui croit que c'est ce dieu qui lui donne des ordres en un code qu'il déchiffre dans nos énoncés. De sorte que lorsqu'il vous parle, il y a des énoncés qui paraissent normaux, du langage utilitaire, et quelques phrases suspectes qu'il glisse pour les anges, ou pour Dieu, ou je ne sais quel démon avec lequel il croit être en communication, et ces phrases-là ne sont pas pour vous. Mais c'est amusant de comprendre ces phrases pour suivre le développement de son délire. Vous pourrez peut-être un jour lui répondre, il croira que c'est Dieu qui lui parle. Il a une forte personnalité, très volontaire, et c'est comme ça qu'il répond à Dieu, l'engueulant, lui tenant tête, parfois il le ménage aussi parce qu'il n'a pas perdu tout espoir quant à sa damnation. On dirait, d'après ses réponses, que son dieu est habituellement très injurieux à son égard.

Il y a aussi le marin, grand capitaine navigateur qui s'est transformé en robot. Son corps est actionné par une machine, logée sous le bras gauche, qui fonctionne mal parce qu'elle est rouillée, ou pas assez huilée. Alors il doit bouger très lentement. Celui-là est assez drôle et gai en général et il pourrait presque passer pour un matérialiste, mais il a malheureusement des apparitions de la Sainte Vierge.

En ce moment, en France, ils pensent tellement à la mort depuis que Mai 68 a avorté, qu'ils sont déjà de l'autre côté, ils fabulent sur ce qui se passe ensuite, voyageurs de l'au-delà, la réalité n'est plus de leur domaine, ils ont traversé ce petit espace dérisoire qui s'étend de la naissance à la mort et explorent maintenant le reste, si je puis dire. Ça donne de curieux résultats, de gentilles théories crépusculaires qui sont comme des bulles de savon, des petites planètes qui vous éclatent au visage en un dégoulinage de vertigineux concepts de verre, la danse des atomes que fait jongler celui que vous avez devant vous, il n'est plus un humain, c'est une molécule égarée dans un cosmos brumeux, légère comme une plume agitée par des vents sidéraux, les aspirateurs géants des étoiles mortes. Le moindre contact le briserait, il est délicat et frémissant comme un reflet dans l'eau. Il est sensible aux moindres perturbations de l'atmosphère et plein de tremblements stroboscopiques. Il s'est perdu dans l'univers et maintenant, seul dans son astronef, il essaie d'émettre vers la terre, quand le temps lui paraît long. Il tombe alors vers vous comme une pluie de vibrations évanescentes, de petits sons fugitifs, amas de sensations sonores qui ne se cristallisent plus en mots mais s'évanouissent aussitôt, et dont le sens s'évapore en fondant. S'il arrive que les sons se coagulent et que le mot prenne, il gardera son sens un quart d'heure à peu près, puis se dissoudra pour donner naissance à un nouveau mot tout aussi éphémère dans une perpétuelle métamorphose, apparitions furtives et disparitions des idées, de fluides constructions théoriques qui vous échappent dès que vous essayez de les saisir. J'étais occupée entièrement par ce ballet.

En fait il n'y avait rien au monde que je trouvais plus distrayant que ce jongleur de planètes. Je pensais qu'on ne pouvait pas être si férocement attirant sans faire exprès. J'en étais venue à le considérer comme une espèce nouvelle de strip-teaseuse particulièrement perverse, le philosophe comme l'allumeuse contemporaine. Quand il enlevait son manteau, il commençait son déshabillage. Il ne l'enlevait pas, en fait, il le laissait tomber en s'ébrouant délicatement et il y avait dans ce petit geste qui se prétendait innocent une perversité sans fond, un abîme de sagacité et de perfidie insondable, il saisissait, il allait vous chercher jusqu'au fond de vous-même, juste comme ça, à laisser choir son manteau, ce manteau qui glisse, dans la façon de porter le cou, ou plutôt de ne pas le porter, de le dénuder, de le laisser frissonner quand le manteau tombe, il y avait là une insinuation qui ne pourrait plus vous laisser tranquille, qui vous poursuivrait dans votre sommeil, au cinéma, quand vous parlez à vos amis, partout, qui agirait comme une caresse profonde, obsédante, sans cesse renouvelée, un agacement de moustique, une persécution sournoise, et vous ne comprenez pas comment cet homme peut laisser glisser son manteau de cette façon-là, comment peut-il enlever ce manteau, ce qu'il faut qu'il ne soit pas, ce qu'il faut qu'il soit devenu pour enlever ce manteau, ce qu'il faut qu'il pense pour enlever ça, ça donne le vertige.

Je comprenais tout ce qu'il disait en le rapportant à son comportement d'effeuilleuse et les choses ainsi devenaient lumineuses. D'autre part, je ne comprenais rien d'autre. Les étudiants sortaient du cours avec de brillantes spéculations bien sonores sur Kant ou Spinoza, dont ils discutaient entre eux en faisant la file au restaurant universitaire, ou peut-être faisaient-ils semblant, moi je ne pouvais que le voir se déshabiller, se déshabiller et se redéshabiller mille fois devant nous. Il avait semé le doute dans mon esprit. Je ne pensais pas qu'il ait pu jamais parler de Spinoza. Pas après avoir enlevé son trench-coat. Il ne fallait pas le chercher là, il était tout entier dans une boîte à top-less, c'était un bar louche où, pour entrer, vous faisiez semblant de parler de Kant ou de Spinoza.

Puis le cours commençait. Il était assis au centre d'une longue table, au milieu d'une douzaine d'élèves, comme le Christ au moment de la dernière Cène. Une étudiante à sa droite, une étudiante à sa gauche. Tout le monde sur ses notes. Et pendant qu'il réfléchissait sur Kant, il se penchait en gesticulant et discourant, tantôt à droite, tantôt à gauche, et je ne pouvais plus me distraire de ce mouvement du bras qui allait frôler doucement l'étudiante de gauche, s'appesantissait là quelques secondes, puis s'éloignait comme à regret, pendant que l'autre bras s'approchait de l'étudiante de droite et se tassait un peu contre elle, dans un léger, très léger frottement des chandails de laine. La salle n'était plus que frôlements, frictions imperceptibles, froissements électriques de lainages, et bientôt je sentais, sur ma cuisse et tout mon côté gauche, la pression d'un corps d'homme, près de moi, qui s'était penché, influencé par la conférence, inspiré, autorisé par le spectacle, et qui se collait tant qu'il pouvait. Allez donc après ça parler de Spinoza, il faut être vicieux.

Tout le temps qu'il parlait il barattait l'air comme un moulin en grondant, vous menaçant d'un doigt prophétique, éjectant, giclant des mots enroués et rocailleux du vocabulaire technique du fond d'une gorge ronflante de mucus, et vous ne saviez plus si vous deviez vous frôler ou vous taire, ou tousser par mimétisme ou vous déshabiller, c'était épouvantable comme une éruption volcanique, un vrai scandale public, vous étiez saisi d'émotions contradictoires et pénétré jusqu'à l'os. Il fallait faire quelque chose, il y avait une urgence sûrement, et la toupie tournait, tournait, toujours de plus en plus vite, des images défilaient à toute vitesse, des harnachements, tout le fourbi des appareils, des gréements, des grandes surfaces planes de voiles qui claquent, le petit foc et le grand foc, le perroquet de fougue envergué au mât d'artimon, des ancrages, vous n'auriez jamais le temps de tout noter, et puis venaient les hoplites, les chars à boeufs, Gengis Khan avec sa horde errante, les plissements hercyniens du carbonifère, le trempage et le forgeage des métaux, la rotation des stocks, les Ponts et Chaussées au dix-huitième siècle, et ça ne représente pas, ça segmentarise, c'est une mathégraphie et non une mathélogie et il continuait, il continuait, aussi nu sous son trench-coat qu'une encyclopédie, il y avait encore à déshabiller tout le spadassin, et sous le spadassin il y avait encore peut-être l'équipement de l'affranchi, et sous l'affranchi il y avait encore des strates géodésiques, et sous les strates il y avait, etc., comme un monstrueux oignon. Il s'épluchait et n'en finissait plus.

Quand vous avez vu ça, vous avez du mal à penser à autre chose pendant un bon bout de temps. Vous sortez et ça continue de tourner, le tournis est contagieux.

En fait, il est l'histoire contemporaine, de là sa force et son dangereux pouvoir de fascination, l'histoire à carreaux Macgregor, Macdonald, Mackintosh, l'histoire des dix dernières années comme un parcours labyrinthique, bande magnétique d'une nième dimension qui vous embarque quelque part et ne vous lâche plus jusqu'à ce que vous ayez fait tout le circuit. Et vous le suivez comme un zombi, un mort-vivant enterré par erreur au cours d'une peste, tout le long du ruban, rêve qui se tord et serpente, oblique et se coupe sans cesse, vous suivez le parcours sépulcral comme un vampire, un loup-garou les nuits de pleine lune, terrorisé de voir que des poils vous poussent dans le dos, aux mains, aux pieds, au bout du nez, égaré dans une ville au brouillard épais, où un vieil alchimiste vous déclare en pleine face devant un jeu d'échecs: "Là vous êtes mort, vous êtes bien mort", et déplace un petit pion sur une carte du monde trop géométrique.

Des vieux clochards me fixaient dans le métro parisien et me criaient:"T'es qui, toi?" en crachant entre les rails sur des souris. Des femmes saoules et folles me sautaient au cou et s'accrochaient en pleurant. Partout ça hurlait. Dans les cafés des inconnus me donnaient des livres sur la Kabbale en me demandant de les rapporter l'an prochain; le fondateur de la Golden Dawn s'appelait Macgregor et tous les dimanches il crachait du sang. Je retrouvais une ville en ruines, une ville en cendres. Je brassais des histoires de Mongols, de glaciations, l'univers faisait bing bang et se plissait, fronçait du nez, j'apercevais un Molière qui traversait cette ville à pied, de Pantin à Issy-les-Moulineaux, en bras de chemise, Alphonse Daudet dans sa chambre à côté du clocher de Saint-Germain-des-Prés parlant aux oiseaux immortels de Paris, Rabelais et ses énigmes trouvées en des monuments antiques, l'ancienne cour de France où je voyais toujours ce Molière si matériel, les manches retroussées, en ouvrier naïf riant sous le soleil. Un jour il m'a accordé un rendez-vous chez lui: j'avais prétexté que je voulais des renseignements au sujet d'un institut de philosophie. J'ai mangé une orange en sortant du métro et j'ai attendu un peu, en me baladant dans le coin parce que je voulais arriver à l'heure précise. Je me suis éloignée et j'ai dû courir. Je sonne, un peu essoufflée, il arrive un peu voûté, je longe un long corridor sombre, j'entre dans un petite pièce où il y a une dizaine de chaises disposées en cercle comme pour une conférence, je m'assois n'importe où, et là on commence tout de suite à parler "production". Si j'ai écrit une pièce de théâtre, si j'ai l'intention d'en écrire une, les poèmes, les essais, les romans, si j'allais écrire un essai sur Burroughs, Miller, Kerouak, celui que j'aime, je suis embarquée tout droit pour le doctorat. Alors il faut que je m'inscrive. Je me demande ce que je fais là, j'ai l'impression qu'il faut faire attention de ne pas trop remuer, ça pourrait casser un monument historique. Entre moi et cette chose qui est devant moi, quelque part là-bas, il y a mille petits fils embrouillés, tout un réseau confus de vibrations denses et historiques qu'il traîne avec lui, et il ne faut rien déplacer, ne pas casser un cheveu, sinon c'est la catastrophe. Un air lourd, une bulle impénétrable.

Je cherche en moi une petite envie d'écrire un essai sur Burroughs et je ne trouve pas. Je ne trouve même pas de Burroughs en moi, ni de doctorat, ni d'inscription dans les Instituts. J'ai les poches vides, je suis là par simple curiosité. C'est un geste stupide, comme d'entrer dans la cage d'un lion, je suis là comme au musée, comme si j'admirais une statue dans un parc, qu'est-ce qu'il peut bien y avoir de commun entre cette chose et moi, est-ce que c'est mon frère, mon cousin, mon patron, mon voisin, mon délégué syndical, mon pote, et je ne vais même plus à l'école et je me fiche de Burroughs comme de la fin des temps et de n'importe quel écrivain. Maintenant qu'il ne parle plus des plissements hercyniens du carbonifère, il est encore plus bizarre, comme un moteur arrêté, un jouet cassé, une toupie à terre. J'ai presque l'impulsion de l'aider à recharger sa batterie.

Là il s'est fâché, il semble que je ne sois pas assez rigoureuse, ou quelque chose du genre, il se promène de long en large, les mains derrière le dos. Qu'est-ce que j'ai bien pu dire? J'ai dit que je n'avais pas envie d'écrire un essai, j'ai dit ça spontanément, mais si ça le choque, j'en écrirai un, j'en écrirai un, j'en écrirai une dizaine, une centaine, je ne suis pas là pour choquer personne. Il me semble qu'il bouge le bras et la main en un mouvement ondulant vers moi et je pense à ce serpent dans un film d'animation, ce boa hypnotisant Mowgli par la seule puissance de ses yeux magnétiques. Je pense à tous ces Québécois, ces Canadiens, ces jeunes Américains qui sont allés rencontrer les gurus des Indes, et sa voix devient mielleuse, suave, vibrante de longues sinuosités ophidiennes, et j'ai presque envie de m'endormir en regardant ses gros yeux bleus qui virent blanc. Il y a soudain une brusque perturbation, un événement minuscule et presque insignifiant qui va faire basculer tout le décor. Et on ne peut pas vraiment mettre le doigt dessus, dire "voilà, c'est ça qui est arrivé" . Ça se passe comme aux cours. Avant d'y arriver, dans le métro, encore tout abrutie de sommeil, je me demandais ce que j'allais chercher là, il y avait un vague ennui, puis soudain, alors que le cours est commencé depuis une heure, tout bascule, la perspective se transforme et on se retrouve ailleurs. Maintenant, dans cette pièce aux couleurs absorbantes, on dirait absurdement que je suis venue rencontrer mon cousin un samedi après-midi. Ce cousin est un type très étrange. Il a quatorze ans. Il m'a téléphoné de venir collationner. Moi-même je suis un drôle de dandy, une méchante qui sort du pensionnat des Ursulines de Québec où, contrairement à ce qu'on peut croire, il est possible de mener une existence parfaitement débauchée. Je serais donc simplement venue manger des gâteaux chez mon petit cousin. Je suis passionnée de théâtre, j'ai beaucoup d'amis, ce garçon en face de moi vit très seul, il fait de la philosophie, il parle un peu de Nietzsche Empédocle; au fond du petit salon rouge, près de la fenêtre, un autel tout monté avec les accessoires que sa mère lui a fait construire au cas où il aurait envie de servir une messe à domicile. J'examine un peu son autel, je lui souhaite de s'amuser beaucoup avec ça. Il ne comprend pas l'ironie de ma phrase, il continue sur Empédocle, il a quelques plaques rouges sur les joues et au menton, une sorte de psoriasis, le regard en dessous, il baisse la tête et se tait de longs moments, il est trouble et marécageux comme tout. Il me fait penser à cet enfant de choeur aux Ursulines, qui servait toujours la messe avec les mains croisées juste au-dessus du sexe, les deux index pointés. Ce garçon, à force de rire, m'avait fait perdre la foi. Il dit des phrases qui reviennent à peu près à ceci et qui sont complètement hallucinantes, sorties de leur contexte: "Toi, tu ferais ça? Tu ne ferais que ça?" Et puis, un peu plus loin: "Oh, c'est malsain, c'est maladif." Je réponds pour le mettre à l'aise: "Oui, moi je ne ferais que ça, moi je suis heureuse quand je fais ça, c'est pour ça que je le fais." En réalité, nous parlons d'écriture. "Combien de fois tu... Combien de fois ça t'est arrivé de ... faire ça?" Toutes les phrases finissent par ce petit mot évasif: "ça." "Ça te plaît ça? Pas plus que ça? Et ça?" Ici, nous parlions de peinture. "Toi, tu n'aimes pas ça? Moi c'est ça qui m'amuse." Il est assis par terre, les jambes vaguement croisées, il se dandine un peu pour changer de position, la main entre les jambes juste sur le sexe. Cette main, évidemment lui sert à s'appuyer, lui sert de pivot, pour opérer une rotation de son corps sur le tapis, le regard candidement levé vers moi, ça me rappelle malheureusement le geste de Gilberte à Tansonville devant une haie, pendant l'enfance de Proust. Mais nous parlons bien d'Empédocle, pourtant, nous sommes toujours dans Kant: "Il faut

154

que ce soit toi qui en ait eu l'idée." Ça, bien sûr, je suis forcée de le reconnaître, il faut que ce soit moi qui en ait l'idée, j'ai toutes sortes d'idées, j'ai des idées, là n'est pas le problème. "Des idées pour faire un essai." Il a fini de se tortiller. Je dis: "Oui, je pourrais faire ça." Oui, les essais, ça l'amuse, c'est ça qui l'amuse, les essais. Les essais en philo. Cest Kant. Ce n'est que, ce n'est que Sénèque. Je rirai plus tard mais sur le coup je n'arrive pas à trouver ça drôle. Je voudrais rassembler mes esprits, voir clairement en face de moi le philosophe, le Lévi-Strauss, le Einstein, chasser ce cousin vicieux de mon cerveau. Je me secoue, je tape du pied, je ris. Il y a quelque chose qui cloche, une stupeur dans l'air comme un philtre, je voudrais dire: "Attendez une minute que je réfléchisse, juste une minute que je réfléchisse avant de répondre." On dirait que je suis piégée, il y a quelque chose qui cloche dans... ce cousin. "Hector, n'essaie pas de passer un contrat avec moi, maudit! Autant parler d'accord loyal entre les lions et les hommes, les loups et les brebis." Achille sous sa tente, boudeur, qui s'est condamné à une passivité effrayante. Je me rappelle d'une longue patience, une promesse de patience que je m'étais faite à moi-même, il y a longtemps, tellement longtemps que j'ai oublié les raisons qui m'y avaient poussée.

Maintenant il s'est tassé un peu, il sourit d'un air rusé, hostile ainsi qu'un chef d'État pauvre. Il est soudain comme vieux, non pas affaissé, fatigué, mais d'une vieillesse sans âge, sans figure, une force, un durcissement de vieillesse. Il a l'air d'un très vieux pape et il continue de sourire, presque heureux. D'une voix naïve et cruelle, il va se mettre à parler de métaphysique. Ses mains sur la table sont horribles à voir, des pattes de bête, d'oiseaux de proie. Il tremble un peu, il a froid, la métaphysique lui donne froid, au cousin. Il se secoue toujours comme un petit enfant, avec son air déshabillé. Je dois maintenant avoir le regard horrifié et fixe de celui qui verrait apparaître un spectre dans sa chambre à coucher, il va peut-être, s'il continue comme ça, se lever et aller dire devant moi sa messe en latin à son petit autel. Quand une chose comme celle-là se produit, je suppose qu'il vaut mieux s'arranger pour que ça passe inaperçu. Je n'y comprends rien à ce garçon agaçant. Il dit qu'il va finir par se jeter dans un volcan comme Empédocle, voyage géologique au centre de la terre, je lui souhaite bien du plaisir. Si j'avais envie d'écrire une thèse... et je revois tous ces garçons obsédés par le "génie" que j'ai connus à seize ans, qui lisaient Bourgault, Lévesque, thésards que je n'ai plus revus depuis que je fréquente ces terrains vagues qui ont déformé ma vision. On les mettait au séminaire, ils se découvraient des vocations, à force de masturbations refoulées. Ça fait maintenant quinze ans qu'ils prennent des notes, c'est ce petit fait qui est à mourir de rire. Derrière tout ce qu'ils disent et écrivent, il me semble toujours entendre leur inconscient qui se lamente.

Jean W. Simor avait cinquante-deux ans quand il découvrit la nébuleuse de la constellation de la "Chevelure de Bérénice", ainsi nommée parce que sa fille, alors âgée de seize ans, s'appelait Bérénice. On lui donna le prix Nobel pour sa découverte. C'était en 1966. Il passa deux ans à observer la nébuleuse. Il devait, à la suite de ces observations, faire une nouvelle découverte qui allait révolutionner l'astronomie, la physique, la cosmogonie et plusieurs autres sciences, ainsi que l'existence de nombreuses personnes. Il découvrit avec stupeur, en mai 68, que la "Chevelure de Bérénice" ainsi que la plupart des nébuleuses extragalactiques, pour ne pas dire toutes, s'éloignaient de notre galaxie à une vitesse croissante. On appela ceci: "La grande fuite des nébuleuses." Entre-temps, la fille de Jean W. Simor avait fui en Californie avec sa cousine pour rejoindre le mouvement hippie. Quand elle apprit la dernière invention théorique de son père, elle décida qu'elle pouvait aussi bien avoir le pouvoir de faire revenir des nébuleuses et rentra à la maison avec son ami, qui était batteur dans un groupe rock. Quelques mois plus tard son père inventait la théorie du grand bing bang originel. Tout cela n'est pas très vrai, bien sûr, puisque la "Chevelure de Bérénice" avait été nommée dans l'Antiquité, mais cela aurait très bien pu se passer de cette façon.

Il dit d'une voix lente, avec beaucoup de rires dans la gorge: "Alors?" en étirant indéfiniment le *a*. Quand il dit *alors* comme ça, on dirait qu'il annonce un grand bonheur qui s'en vient, une sorte d'apocalypse, de révolution, de fête universelle, on dirait qu'il va chercher dans ma tête un vieux secret qui gît là, enfermé depuis des siècles et qu'il a découvert. Je suis moi et tous ceux qui me ressemblent et il est aussi tous ceux qui lui ressemblent quand il parle et sourit comme ça. L'univers devient resplendissant de gentillesse, absurdement il y a soudain un saint à la tête du gouvernement des États-Unis, à la tête du monde, un père Noël. J'oublie la face noire des choses, c'est une terre où l'on ne trouve plus que des bonbons. Il y a en moi quelque chose de profondément contenté, un besoin qui hurlait et qui a été assouvi une bonne fois pour toutes, et désormais, tout le reste me paraît miraculeux, le pire n'existe pas, ou bien le pire est passé, ou bien le pire mal dont je pouvais souffrir a disparu de la surface du globe et tous les autres maux me paraissent si dérisoires en comparaison qu'il me semble qu'il n'y a plus rien du tout à craindre. Je me rends. J'entends les voix des prophètes rock et des notes cristallines de boîtes à musique. Ils me disent que pendant cet orage, la fois qu'on avait frappé à toutes les portes, "à la dernière maison on avait trouvé un ami", et que mille petites modifications imperceptibles iront vous chercher sous les ruines et vous ramèneront de nulle part. Donne-lui seulement une chance de faire la paix et il te précédera, il peut aller plus vite que toi dans la paix et l'amour. Derrière le masque de théâtre, elle est encore là la chanson qui te guidait sur la route des libellules et de la girafe Berthe et tu retrouveras Ibiza. Et tu te rappelleras de moi. Je n'aurai plus le visage des traîtres et des comédiens, nous serons l'un de l'autre éloignés comme deux lunes, ou bien je sortirai en deux dimensions d'une illustration colorée suffisamment drôle et bête pour que tu t'en amuses toute la semaine, comme tu faisais avant, avec les illustrations colorées.

*   *   *

157

Je suis rentrée à Montréal parce que des amis m'invitaient à participer à un spectacle de poésie, et que ma ville me manquait. Et puis on ne peut pas rester dans le vide trop longtemps. Je retrouve la bizarre machine lourde à laquelle il faut s'atteler comme un boeuf et qui oppose la résistance de l'inertie, la roue carrée. La jouissance moderne est dans l'endurance. Nous tirons cette roue sur une côte ascendante dont l'angle d'inclinaison sera bientôt à quatre-vingt-dix degrés et si nous ne dégringolons pas, si nous nous agrippons au sol et qu'aucun vertige ne nous prend, nous arriverons un jour à un plateau. C'est comme de pédaler entre Baie Saint-Paul et la Malbaie. On monte toujours en sortant de Baie Saint-Paul et si on résiste à la tentation vingt fois renouvelée de redescendre vers la ville, si on supporte l'énervement de s'apercevoir, après une montée particulièrement dure, qu'une autre côte nous attend passé le tournant, si on monte et monte encore avec la montagne dressée devant soi comme un mur, il arrivera un moment où on atteindra un plateau et puis ensuite ça descend tout le temps. Fumer une cigarette de temps en temps, arrêter boire un café au snack-bar et continuer imperturbablement, sans regarder en arrière parce que la faible distance parcourue risquerait de nous décourager, voilà ce qui semble la seule solution. Quand les roues sont carrées en plus, il ne faut pas se préoccuper des commotions de l'appareil et tirer, tirer comme si on allait arriver quelque part, puisque de toute façon on se déplace et on arrivera bien quelque part. Peut-être tirons-nous des menhirs à seule fin qu'ils s'érigent ensuite pendant des millénaires pour raconter aux hommes du futur ce que nous pouvions faire. Les grandes peuplades antiques, hommes noirs et nus, femmes et enfants en guenilles, malades, moutons, boeufs, troupeaux mugissant, menés par les sorciers, rivés à la pierre monstrueuse par un décret macabre, pour engraisser le sol de fumier en passant, pour assurer la fécondité des champs pendant qu'on y traîne le mégalithe, ou peut-être simplement pour détourner un instant l'attention des peuples sur ce bloc stupide, travail absurde de Sisyphe où il n'y a que la sueur et la merde qui servent et qui

aient un sens, un travail de milliers de tortues, un pas de plus
est un pas de gagné, et ça développe la musculature. Ils annoncent que bientôt on ne sentira plus la côte.

On annonce de la pluie

Gilles PELLERIN

Comme je ne suis ni mystique ni sportif, je risque l'ankylose. Pour m'en garder, je pratique en société et même en solitaire un exercice qui consiste en l'élargissement de l'ouverture de la bouche accompagné d'expirations saccadées plus ou moins bruyantes.

Né à Shawinigan en 1954, Gilles Pellerin habite Québec depuis une dizaine d'années. Il a été membre des comités de rédaction de *Livres et auteurs québécois* et *Estuaire*. Il a rédigé sa thèse de maîtrise sur les rapports entre la peinture et la littérature autour de l'oeuvre de Gustave Moreau. Comme critique il collabore à *Book Club, Nuit blanche* et *Lettres québécoises*. Il prétend connaître au moins deux personnes qui le trouvent drôle et espère doubler ce nombre par sa participation à cette anthologie.

Livre de fiction:

Les Sporadiques Aventures de Guillaume Untel, nouvelles. Hull, Éditions Asticou, 1982.

*Yahvé vit que la méchanceté
de l'homme était grande sur la
terre et que son coeur ne
formait que de mauvais desseins à longueur de journée.
Yahvé se repentit d'avoir fait
l'homme sur la terre et il s'af-
fligea dans son coeur. Et
Yahvé dit: "Je vais effacer de
la surface du sol les hommes
que j'ai créés — et avec les
hommes, les bestiaux, les bestioles et les oiseaux du ciel —,
car je me repens de les avoir
faits." Mais Noé avait trouvé
grâce aux yeux de Yahvé.*

Genèse 6, 5-8

Le dimanche après-midi, Noé aimait faire un tour de machine dans les campagnes. Depuis longtemps femme et enfants avaient cessé de l'accompagner dans ses pérégrinations hebdomadaires, préférant, l'une les joies paisibles de la lecture, les autres les ardeurs viriles du baseball télévisé (*sur le cable*). Le naturel dynamique de Noé s'accommodait mal de telles activités même s'il avait atteint un âge avancé aux yeux des hommes.

Quand on est doté d'un fort tempérament, il est des gestes qu'on accomplit sans réflexion préalable (ciller, se gratter), il est des actions dont on ne perçoit l'inéluctable entraînement qu'au moment où elles sont déjà enclenchées. C'est ainsi que Noé avait ce jour-là pris la route de Saint-Élie-de-Caxton dans la giboyeuse région de la Mauricie qui regorge de lacs, de rivières, de pitounes sur les rivières et de panaches d'orignaux sur les automobiles quand advient le rougeoyant automne. Cela était écrit de toute éternité dans le Grand Livre que nulle bibliothèque ne possède. Quoique Noé l'ignorât, il était aussi écrit, quelques lignes plus bas, que le destin de la terre en serait infléchi. Mais comment eût-il pu savoir ce que personne sur terre ne savait, lui, le vieil homme qui ne lisait de surcroît que les nouvelles du sport?

La voiture de Noé, une américaine longue comme un bateau et munie de tous les raffinements sonores de la technologie moderne, était lisse et brillante sous le soleil de ce début d'été comme était lisse et brillant le front auguste du patriarche. Voyait-on Noé pour la première fois qu'on ne pouvait s'empêcher de s'exclamer: "Cet homme a beaucoup pensé!'' Homme d'action, Noé n'en égayait pas moins sa solitude dominicale en discourant d'abondance sur les vertus des temps anciens. Cet harmonieux mais si rare mélange de pensée profonde et de robustesse de complexion n'est-il pas digne d'être cité en exemple à la jeunesse?

Arrivé au village (via la route 351), Noé avait fait le plein. Le pompiste s'était écrié, dans le bruissement de la vitre automatique qui s'abaisse (et dans le vert langage du gars en perpétuel contact avec la rude topographie laurentienne): ''Noble vieillard, vous avez dû beaucoup penser dans votre vie. Je lis dans la longueur extraordinaire et la blancheur de la toison qui orne votre visage empreint d'une majestueuse sérénité que cette vie fut riche d'enseignements.'' Par ces mots il l'avait accueilli. Noé, qui n'aimait pas passer pour un petit vieux, avait répondu: ''Vingt piastres de jaune pis oublie pas de revisser le bouchon'' sans quitter sa voiture parfaitement climatisée.

Au petit pont qui sépare le secteur méridional de Saint-Élie de son septentrion, il avait tourné à gauche et s'était exclamé devers les promeneurs oisifs: ''Moi, j'en ai vu couler de l'eau sous les ponts!'' Cette sentence admirable n'avait pas franchi le cockpit insonorisé de la voiture toutes vitres relevées car il est écrit qu'il faut semer beaucoup de sagesse pour en espérer récolter.

Il avait garé sa voiture à côté du cimetière, non sans éprouver quelques problèmes avec le verrouillage (moteur laissé en marche, lave-glace en folie, clé oubliée sur le contact, capot ouvert par l'intérieur et par mégarde), si bien que l'auto avait buzzé, tilté, sillé, bref avait donné la pleine mesure de sa stridente tessiture. Noé avait fermé derechef sa prothèse auditive d'un modèle discret qui s'installe derrière le pavillon de l'oreille et qu'on remarque à peine. Plus remarquable était l'albâtre pileux qui jaillissait par gerbes de ses oreilles comme persil albinos et qui altérait son acuité auditive.

Il s'était un moment amusé des noms qu'il avait lus sur les pierres tombales (Moïse, Hormidas, Rébecca, Léonette,

Fulgence) et avait entrepris, chaussé de ses petits souliers blancs du dimanche un peu étroits mais tellement chics, la douloureuse ascension du calvaire, du fameux calvaire de Saint-Élie. Comme il parvenait au sommet, là où une croix domine les gorges de la Yamachiche (l'impétueuse), le ciel s'assombrit, le tonnerre roula et Noé enleva ses verres fumés.

Un éclair zébra la scène et Yahvé dit:

— Noé, j'ai assombri le ciel, fait rouler le tonnerre et zébré la scène afin de te montrer combien grande est ma puissance. D'abord fais-moi le plaisir de remettre ta prothèse auditive en marche. J'ai beau avoir une belle voix de baryton... Écoute attentivement ce que Yahvé ton Dieu a à te dire.

— J'écoute, Yahvé, répondit Noé convaincu de ce qui allait suivre. Vous allez me dire *Monsieur, vous avez beaucoup pensé.*

Le tonnerre gronda (du moins suivant l'interprétation des oreilles humaines).

— À moins que ce soit *Noé, tu es Noé et sur...*

Le tonnerre gronda de nouveau et Yahvé fut le plus rapide des deux:

— Pauvre andouille, figure-toi que tu es le seul juste à avoir trouvé grâce à mes yeux —*Gn* 6,8. Imagine les autres! Jusqu'ici j'avais tout supporté en silence: les pool rooms, les 950 cc, le retrait préventif, les arcades, les grills, les wet t-shirts.

— Arrêtez, vous là. C'est pas si pire que ça. C'est vrai que la procréation se dissout peu à peu mais, pas plus tard que la semaine passée, la police a fermé des établissements spécialisés sexuellement parlant.

— Sais-tu, mon Noé, que je te trouve pas mal renseigné pour quelqu'un qui ne lit que les informations sur le merveilleux monde du sport...

Un peu de pourpre cardinalice envahit le visage du patriarche qui se demanda d'où Yahvé tenait ce renseignement.

— Si je t'ai fait venir sur ces hauteurs, Noé, c'est que le vase a débordé. Toi l'amateur de hockey, tu sauras t'en souvenir: cet hiver, les Diables du New Jersey sont venus battre le Canadien de Montréal en plein Forum.

— Parlez-moi z'en pas! Jamais je n'aurais cru vivre assez vieux pour voir ça, se lamenta Noé, avec des trémolos dans la voix.

— Les éliminatoires n'ont pas apaisé mon courroux. Si je n'y mets un frein, une ère d'abomination obscurcira la terre. Le Canadien s'en va chez le diable avec ses erreurs au repêchage. J'aime mieux en finir tout de suite.

Voyant qu'il en allait du salut de l'espèce humaine, Noé plaida hardiment pour les passes croisées en zone neutre sans obtenir, hélas, l'apaisement de la colère de Yahvé et le retrait de sa menace. Au désespoir, il proposa ultimement de trouver dix justes et de les présenter à la face de Yahvé.

— Mais qu'est-ce qu'un juste, Noé? philosopha Yahvé qui s'y connaissait en sapience.

— Je laisse ça à votre bon jugement.

— C'est trop de bonté...

Yahvé consentit finalement à un moratoire, lui qui n'ignore rien du vocabulaire et des pratiques modernes.

— Trouve-moi dix justes et j'épargnerai la terre et les hommes que j'ai créés — et avec les hommes, les bestiaux, les bestioles et les oiseaux du ciel.

— Vous pourriez peut-être jeter votre opprobre sur les mites, la tordeuse et Cachou, le chien du voisin?

Yahvé fut inébranlable:

— Seulement dix justes et je diffère le dessein que j'ai conçu. Et quand tu les auras trouvés, reviens me voir ici. Mais, pardieu — si je peux m'exprimer ainsi —, fais vite, il faut que tout soit réglé avant la prochaine saison de hockey. Je n'en souffrirai plus comme celle qui vient de se terminer.

— C'est vrai que c'est long quatre-vingts matches. Sans compter les éliminatoires et le camp d'entraînement. N'empêche que ce serait moins pire si les joueurs acceptaient moins de contrats de publicité et se concentraient davantage sur leur jeu, de façon à prendre les joutes une à une. Qu'est-ce que vous en pensez?

Noé ne connut jamais l'opinion de Yahvé sur cette épineuse question car le Très-Haut s'était soustrait à ses sens. Noé redescendit la montagne en se disant qu'il avait du moins gagné quelques mois. Il constata avec plaisir et gratitude qu'en dépit du tonnerre et des éclairs, il n'avait pas plu. Ainsi ses souliers blancs ne seraient pas tachés de boue et son abondante crinière ne friserait pas indûment.

* * *

Un lourd silence pesa sur le souper comme à l'époque où les enfants rapportaient de mauvais bulletins de notes. Après le dessert, Noé rassembla les hommes de la famille dans le salon, c'est-à-dire ses fils Japhet, Chem et Sam, pendant que son épouse faisait la vaisselle en se gardant de faire du bruit comme il lui avait été demandé. La parole de Noé fut adressée à ses fils:

— Les petits gars, le monde est rendu méchant en verrat pis le Canadien pourri en mautadit. Se faire battre *à domicile* par les Diables du New Jersey, il y a toujours bien une limite!

— Les *Devils*, père. Pas les *Diables*, corrigea avec respect Japhet, celui de ses fils qui avait fait son cours classique.

— En vérité, en vérité, je vous le dis, je vous le dis, je ne vois pas de différence (bis).

Japhet s'expliqua:

— Il est notoire que dans votre temps, on avait l'habitude de traduire les noms des équipes sportives. Je ne vous en fais pas reproche, père, mais vous dites encore les *Cardinaux de Saint-Louis*: *Un coup sûr, aucune erreur, un homme laissé sur les buts; après huit manches de jeu, Cardinaux de Saint-Louis 4, Mets de New York 2.*

Noé qui savait reconnaître la vérité quand il la voyait, en fût-il la victime, opina du bonnet. Il battit d'autant plus sa coulpe qu'il devait s'avouer intimement qu'il aurait quant à lui spontanément mis un trait d'union entre *New* et *York* (sans parler du problème complexe posé par *St. Louis*).

— Père, cette philosophie est aujourd'hui tombée en désuétude. Vous viendrait-il à l'idée d'appeler les Oilers d'Edmonton autrement que par leur nom anglais?

L'implacable argument serait resté suspendu à la *lantenne* de la télévision, comme disait Chem (en dépit des objurgations répétées de sa mère — une sainte femme — occupée à récurer les chaudrons sur le lévier) si Chem, précisément lui, n'avait ajouté:

— C'est vrai que ça aurait l'air fou en liboire les *Lhuileurs* d'Edmonton.

La discussion se poursuivit fort tard au point que Noé consentit à ses fils la permission de se coucher après minuit, à condition de se mettre au préalable en pyjama. Pour la millième fois, il fit le récit des conquêtes de la coupe Stanley. Quand il se fut tu, Chem observa:

— Ils n'ont plus la vitesse et la rapidité d'avant.

Noé, homme au penser profond, ajouta: "Le temps passe vite mais le Canadien a ralenti." Chacun fut touché dans le fond de son intérieur car il s'est écrit sur ce genre de problème moult traités que du reste Noé n'avait pas lus, ce qui rend d'autant plus admirable cette sagesse lapidaire.

Mais la nécessité n'est pas philosophe pour deux cennes et chacun dut convenir qu'il était inutile de revenir sur le passé, qu'il ne servait à rien de mettre en doute tel choix au repêchage, telle combinaison offensive, telle sortie de zone. Tout cela avait été fait de bonne foi et le succès avait été désastreux. Rien ne pouvait changer la situation: le Canadien était promptement éliminé d'année en année et Yahvé en avait plein son incommensurable dos.

Devant les mines catastrophées et les bâillements maladroitement réprimés de ses fils, Noé se fit rassurant:

— Il ne faut pas s'accroupir sur ses problèmes. À quoi servirait-il de brouiller du noir toute la nuit? Allons reposer en nos couches — t'sais veux dire.

170

Ragaillardi, Japhet fit remarquer que jadis Dollard des Ormeaux avait réussi à rassembler seize braves dans Ville-Marie pour sauver la colonie. Tout n'était peut-être pas perdu.

* * *

Il y eut un soir, il y eut un matin et Noé dut se rendre dans la capitale, accompagné de Japhet, le plus instruit de ses fils. On l'avait convoqué au Ministère du Revenu. Lui Noé, bon comme le bon pain tranché (enrichi), on le soupçonnait de rapines et d'exactions, on l'avait soupçonné du méfait des voleurs.

Après s'être vingt fois fait dire "Monsieur, vous avez beaucoup pensé", Noé avait finalement été conduit à un bureau où un fonctionnaire lui fit décliner nom et âge.

— Noé. Six cents ans.

Le fonctionnaire avait sursauté. Il est vrai que Noé était bien conservé pour son âge. Il n'avait jamais fumé, n'avait pour ainsi dire jamais pris un coup. Sauf une fois... Les enfants étaient encore jeunes et Noé avait tenté quelques expériences avec des plants de vigne indigène. Comme le dit le Grand Livre: "Noé, le cultivateur, commença de planter la vigne. Ayant bu du vin, il fut enivré et se dénuda à l'intérieur de sa tente." Noé n'avait pas les moyens et il lui suffisait d'une tente plantée au bout de la cour pour s'imaginer en vacances.

Chem vit la nudité de son père et avertit ses deux frères au-dehors:

— Heille, les gars! venez voir ça: le bonhomme est flambant nu pis rond comme une bine!

Japhet, pendant son cours classique, avait eu l'occasion de voir des statues grecques et il jeta un regard courroucé à son frère. Avec l'aide de Sam, il couvrit d'un manteau la nudité du père et reprocha à Chem, en termes véhéments mais permis devant les dames, la verdeur de son langage. Chem dut admettre, après avoir mangé la volée de sa vie au réveil de son père, que primo il aurait fallu dire qu'il avait surpris papa dans le plus simple appareil et que deuxio il n'aurait pas fallu qu'il l'y surprît.

Le fonctionnaire, un moment décontenancé (ce qui a permis d'insérer dans ce palpitant récit l'épisode où Noé avait bu le fruit de la vigne), avait zozoté:

— Six cents ans?

— Quasiment six cents et demi.

— C'est invraisemblable, avait repris le scribe affecté au prélèvement monétaire effectué par l'État sur les ressources des particuliers.

Japhet jugea venu le moment de s'interposer.

— Les desseins de Yahvé sont insondables. Quand Mathusalem eut cent quatre-vingt-sept ans, il engendra Lamek. Quand Lamek eut cent quatre-vingt-deux ans, il engendra un fils. Il lui donna le nom de Noé.

Noé avait repoussé son impressionnante crinière, dégageant son front admiré:

— Mon père était bien plus capable que moi. Vous auriez dû le voir dans son temps. Cherchez-en pas des pareils, ils ont perdu le moule.

Japhet poursuivit la généalogie:

— Quand Noé eut atteint cinq cents ans, il engendra...

— J'étais pas barré!

— ... Sem, Chem et Japhet — pour vous servir. (*Gn* 5, 25-32, *passim*)

— En italique, *passim*? C'est pour mon rapport ˮ, avait questionné le méticuleux employé de l'État.

— Vous voudrez bien prendre note que les sources sont irréfutables. Même Archange Godbout, le grand-maître de la généalogie, les admettrait.

— D'accard, avait concédé le fonctionnaire en idiome public (et para-public), dans le but de reprendre l'avantage. Je reconnais que vous marquez un point, contribuable, et que je dois renoncer à l'herméneutique, faute de support informatique suffisant. Alars, admettons que pour le moment j'inscris à l'annexe E trois enfants à charge: Sem, Cham et Japhet.

— Un instant, je vous prie. Il faut plutôt inscrire *Sam*, *Chem* et *Japhet*.

Le fonctionnaire explosa de joie:

— Bas les max! Le fix vous tient!

Japhet n'avait point de son père hérité de l'humeur énergique mais la persévérance avait trouvé place en son coeur — et les inversions dans ses phrases. Il entreprit alors le plus grand plaidoyer de sa vie, performance qui lui aurait au moins valu de se rendre en finale du concours oratoire du Club Optimiste s'il y avait été éligible. Il démontra que par glissement phonétique les Meyer du Bas-du-Fleuve avaient changé leur nom en Meilleur, que Somerset était à la longue et à l'usure devenu Sault-Morissette et que par annexion Giffard s'appelait maintenant Beauport.

Désignant son père d'un large geste de la main appris dans *Perry Mason*, il raconta que dans les jeunes années de sa paternité, Noé avait été un prosélyte du mahor Douglash. Il avait d'ailleurs gardé de cette époque l'habitude de l'aspiration et du chuintement (che qu'une habile et attentive intervenchion du narrateur omnichient et estradiéhétique a husqu'ichi rendu impercheptible), ce qui lui faisait dire, quand il revêtait ses overailles, qu'il avait mis ce linhe-là parche que ches calechons chontaient pas chesses.

Comme il disait aussi *parle* pour *perle* (et vice versa), *charche* pour *cherche* et Japha pour *Japhet*, quelques problèmes s'étaient posés pour ce qui est de l'identification de Sam/Sem/Cham/Chem, par surcroît jumeaux identiques. C'est pourquoi en présence d'inconnus, il se contentait de les présenter comme ses *bébés* sans préciser lequel était lequel (sous toutes ses formes).

Le percepteur, secoué, s'était replié sur la terrible annexe A.

— J'aimerais vous rappeler, monsieur Noé, les règles de l'exemption pour personnes à charge de seize ans ou plus dont vous vous prévalez dans votre déclaration d'impôts, ce que le ministère que je représente ici entend contester.

"À certaines conditions, vous pouvez réclamer une exemption pour chacune des personnes à votre charge qui est née après le 31 décembre 1961 mais avant le 1er janvier 1962 et fréquentait un établissement d'enseignement à plein temps ou était atteinte d'une infirmité physique ou mentale. Je ne crois pas que cela s'applique à l'un ou l'autre de vos fils. Néanmoins je vous reporte à la grille de calcul 1 où vous inscrivez 3570$ sur la ligne 1 duquel montant vous soustrayez sur la ligne 2 le revenu net de la ou des personnes à votre charge (voir page 30). Si le montant de la ligne 2 est supérieur à celui de la ligne 1, inscrivez 0. Sinon passez directement à la ligne 34. Dans le premier cas, ajoutez 770$ d'exemption maximale à la ligne 4, montant que vous reportez à la ligne 105 dans votre déclaration de revenus. Soustrayez alors vos crédits spéciaux étalés (ligne 125) et vos contributions à des partis politiques provinciaux tolérés (ligne 107 X 3%). Vous prenez alors votre revenu de chef de famille, vous le soumettez à la table d'impôt (pages 50 à 52), vous l'inscrivez à la ligne 34 puis vous additionnez les lignes 100 à 128. Vous joignez, au montant du solde dû, un chèque ou mandat à l'ordre du ministre du Revenu, vous signez comme quoi tous les renseignements donnés sur le formulaire et dans les documents annexés sont véridiques, complets et font état de vos revenus de toutes sources. Puis l'an prochain, vous confiez votre déclaration à un comptable agréé. Me suis-je bien fait comprendre?"

Noé n'avait pu supporter tant d'ignominie et avait fermé sa prothèse auditive (ce qui lui confère un net avantage sur les lecteurs). Néanmoins un observateur attentif des téléromans aurait perçu qu'une infinie détresse avait envahi son visage. L'altier vieillard, le patriarche vénéré des siens (quoique défait aux municipales de 1908) craignait-il qu'on l'accusât de quelque fraude? Que non! Il savait Japhet capable de retourner la situation en sa faveur. L'aîné s'était prévalu des exemptions pour personnes nées avant le 1er janvier 1919 (inscrire 2100$ à la ligne 74), ce qui était le cas de chaque membre de la famille (inscrire 10 500$) y compris les benjamins Sam et Chem bientôt centenaires. La langue fourchue et zézaillante du scribe s'était arrêtée en sa bouche et une ombre purpurine s'était emparée de ses traits jusqu'aux confins de ses oreilles.

La douleur de Noé dans cette scène intensément dramatique venait de ce qu'il avait enfin aperçu, derrière le fonctionnaire, les signes d'une allégeance adverse à côté de
laquelle les tracasseries fiscales n'étaient que vétilles. À ne lire
que des journaux montréalais, Noé n'avait pas compris à
quel point les habitants de la capitale ont viré capot et prêté
bruyant support à une autre équipe que le Canadien. Brûlant
ce qu'ils avaient adoré, ces renégats ne souhaitent rien tant
que de voir les nouveaux dieux de la patinoire planter le Trico-
lore. Dans leur temple sacrilège, ils scandent en choeur les
noms difficiles à prononcer (pour faire bonne mesure, ils les
prononcent mal) d'athlètes achetés maints deniers dans des
pays où la libre entreprise n'est pas libre. Sur le mur, derrière le suppôt des tables d'imposition, une affiche géante,
qui avait d'abord échappé à son regard pourtant perspicace,
vantait les mérites de l'équipe impie.

De retour à la maison, vainqueur mais abattu, Noé
entra par la porte d'en avant comme il convient dans les
grandes occasions. On lui fit fête quand on apprit l'issue heureuse de l'âpre combat fiscal mené contre le rusé fonctionnaire. Japhet déclara solennellement "Père, vous fûtes cor-
nélien", ce à quoi Noé répliqua qu'il était mal pris pareil. Le
doute étreignait son coeur palpitant: la désaffection à l'égard
du Canadien avait atteint une ampleur qu'il n'avait pas
d'abord soupçonnée. Comment trouverait-il dix justes quand
règne l'injustice?

Il s'en fut par les lieux de bière (il ne prenait qu'un cola),
là où s'expriment librement la virile nombrilmancie et tous
les savoirs pénétrants loin des regards jaloux des dames. Tout
à la recherche de la justice et des justes, il ressassa in petto les
gnoses qu'une longue vie lui avait apprises: qui casse les verres
les paye, un torchon trouve toujours sa guenille, donnez de
l'avoine à un âne et il vous pétera au nez, etc. Un client
devant qui il s'exclamait: "Mais qu'est-ce que la justice, mais
qu'est-ce?", entonna: *Prendre un verre de bière mon minou.*

Son enquête se termina mal: il fut expulsé de toutes les
tavernes de la place pour n'avoir point consommé suffi-

samment et pour avoir importuné la clientèle. La mort dans l'âme, Noé rentra à la maison, par la porte de derrière cette fois, en s'avouant que même s'il définissait le juste comme un partisan du Canadien (à l'exclusion des membres du personnel et de leur famille), il n'en trouverait pas dix tant l'apostasie s'était répandue comme herpès de type B.

* * *

Le lendemain, après s'être oint d'Eau Sauvage et ceint de la large ceinture paternelle avec laquelle il avait tant et tant corrigé les enfants à une époque où les moeurs étaient moins fefies, il retourna sur le calvaire de Saint-Élie. Les mains vides il se représenta devant Yahvé.

— Saint-Élie, Saint-Élie, lamma sabacthani!

— Mais qu'est-ce que j'ai fait au bon Dieu pour hériter d'un juste pareil?, soupira Yahvé. Puis il se dérhuma légèrement: Déjà de retour, Noé? Je vois aux lignes noirâtres qui cerclent tes yeux que ta recherche a été vaine.

— On ne trouve pas dix justes en un coup de dé, vous saurez.

Yahvé tiqua sur la répartie de Noé et pensa qu'il vaudrait peut-être mieux élaguer le texte (et remplacer quelques *dans* par des *en*) si jamais on devait le publier — avec une distribution adéquate, on en tirerait bien quelques millions d'exemplaires.

— Voici ce que j'ai décidé. Fais-toi une arche...

— Par *arche*, entendez-vous une sorte de bateau?

— ... de trois cents coudées pour la longueur, cinquante coudées pour sa largeur, trente coudées pour sa hauteur. Tu feras à l'arche un toit et tu l'achèveras une coudée plus haut, tu placeras l'entrée de l'arche sur le côté et tu feras un premier, un deuxième et un troisième étages. Tu demanderas à tes trois grands fanals de t'aider.

— Je vous écoute parler et je ne peux m'empêcher de penser que tout ça m'est familier.

— Peut-être l'as-tu lu quelque part?

176

— Vous savez, moi les joies paisibles de la lecture...

— Et les ardeurs viriles du baseball télévisé, je sais.

— C'est comme le football, tiens: j'étais déjà trop avancé en sagesse et en âge quand j'en ai vu pour la première fois. C'est compliqué que le diable!

— De grâce, Noé, ne prononce pas ce mot en ma présence!

— Je veux dire que c'est du poussaillage de grands jacks. Le hockey, ça c'est simple: quand t'as le puck dans la slot, tu le shootes dans le net. Vous souvenez-vous de la fois où c'est que Maurice Richard, etc...

Si Yahvé s'en souvenait, lui qui est la mémoire des siècles! C'était la belle époque de la ligue à six équipes. Sept fois par année (nombre sacré), Toronto venait jouer à Montréal et sept fois Montréal se rendait dans la géhenne subir l'épreuve du dardage, du six-pouces et du *God Save the Queen*.

L'implacable verdict, un moment retardé par ces souvenirs d'esthètes, retentit pourtant et Noé comprit qu'il ne servait plus à rien de chercher à l'éluder. Yahvé parla:

— Je reprends. Je vais amener le déluge, les eaux sur la terre pour exterminer de dessous le ciel toute chair ayant souffle de vie: tout ce qui est sur la terre et qui a une haleine de vie dans les narines doit périr.

— Vous feriez vraiment ça?

— Tu peux vérifier, homme de peu de foi: *Gn* 6,17. Mais j'établirai mon alliance avec toi et tu entreras dans l'arche, toi et tes fils, ta femme et les femmes de tes fils avec toi.

— Mais...

— Je sais, Noé. Tu les marieras avant la fin de l'été.

— Je les trouve un peu jeunes, sans expérience.

— Je veux que tout le monde soit en règle! De ton côté, procure-toi de tout ce qui se mange et fais-en provision: cela servira de nourriture pour toi et pour eux. Quand tu seras dans l'arche, toi et tes fils, ta femme et les femmes de tes fils avec toi, les eaux grossiront et soulèveront l'arche et toutes les hautes montagnes qui sont sous le ciel seront couvertes.

— Même le Mont Royal?

— Même le Mont Saint-Hilaire, si tu veux savoir. Les eaux monteront quinze coudées plus haut que la plus haute montagne et la plus haute montagne sera recouverte par les eaux.

— Vous êtes un Dieu jaloux mais vous parlez bien.

— Toutes les bestioles qui sont sur la terre, depuis l'homme jusqu'aux bêtes, seront effacées de sa surface. Il ne restera que toi, Noé, toi et tout ce qui sera avec toi dans l'arche. La crue des eaux sur la terre durera cent cinquante jours. Alors je me souviendrai de toi et de tout ce qui sera dans l'arche avec toi.

— L'arche d'alliance?

— Non, nono! L'arche de Noé! Je ferai un grand vent sur la terre et les eaux désenfleront. Et en l'an six cent un de ta vie, au premier mois, au premier jour du mois, les eaux sècheront sur la terre.

— Six cent un ans. Ça ne nous rajeunit pas, hein Yahvé?

Yahvé fut ému par la simplicité du juste Noé au moment où il édictait son oeuvre de colère.

— Eh non, mon vieux Noé, ça ne nous rajeunit pas.

Noé pensa avec humeur: "Tu parles, *mon vieux Noé*. Je suis plus jeune que lui!"

Yahvé qui devine toute pensée, sourit. Ah si les fils des hommes n'avaient eu pour tout dessein que celui de paraître jeunes, il leur aurait volontiers pardonné cette futile vanité comme il avait pardonné au coquet Noé.

— Les eaux sècheront sur la terre. Ce sera en quelque sorte ton cadeau d'anniversaire.

Noé pensa que des eaux qui chessent ça fait un drôle de cadeau. Ça ne vaut pas une tondeuse ou une scie à ruban. De toute manière, la surprise était éventée.

Yahvé constata son impair et se promit de lui organiser un party. Il ferait bel effet en chantant de sa voix d'outre-cieux *Mon cher Noé, c'est à ton tour*.

Alors Yahvé renvoya Noé de sur le calvaire de Saint-Élie et Noé prit le parti de monter le chantier à son chalet du

Lac-à-la-Tortue (*Turtle Lake City, five hundred miles from New York*, comme disent les gens du coin — c'est plus court si vous passez par le rang Saint-Mathieu).

* * *

Arrivé à la maison, après avoir hésité entre la porte d'en avant et celle d'en arrière, il réunit épouse et enfants et leur répéta mot à mot ce que Yahvé lui avait révélé. De son anniversaire toutefois il ne souffla mot pour voir si le jour venu sa famille saurait y penser.

— C'est pas mêlant, j'en avais des frissons dans le dos. Vous auriez dû l'entendre quand il m'a dit, aussi vrai que je vous vois là: *j'établirai mon alliance avec toi et tu entreras dans l'arche, toi et tes fils, ta femme* — ça c'est moman — *et les femmes de tes fils avec toi.* C'est là qu'on constate que la famille est vraiment la personne ressource lors de conflits.

L'épouse de Noé, qui joue dans ce récit un rôle effacé, ne dit rien. Mais Sam, qui était des trois frères le jumeau de Chem, osa:

— Mais popa, on n'est même pas mariés. Chem et moi, on a des blondes, toujours, mais Japhet lui...

Japhet fit immédiatement diversion:

— Yahvé s'engage envers ceux qu'il a discernés. Voir aussi *Genèse* 9,9, 15,1 17,1 et *Exode* 19,1. L'arc-en-ciel est son signe et cette alliance indique sa volonté de reprendre et poursuivre son oeuvre.

Sam dodelina du chef, se découvrant par le fait même une souplesse qu'il ne se connaissait pas, et se dit que c'était belle et grande chose que l'instruction. Noé, à qui on ne la fait pas, comprenait quant à lui que Japhet, son plus vieux, éludait la question comme lui-même l'avait fait devers Yahvé.

Jamais Noé n'avait vu son plus vieux avec une jeune fille d'entre les femmes. Des trois frères, ce serait le plus difficile à caser. "Pourtant, il a traits réguliers et me ressemble. Il a verbe éclatant et adjectifs qualificatifs en grand nombre." À la première occasion, il aborderait la question de front avec son

179

aîné. Il lui parlerait des inéluctables lois de la nature (les abeilles, le pollen, les phanérogames angiospermes dicotylédones).

L'occasion se présenta quelques jours plus tard. Noé profita de ce que les plus jeunes avaient momentanément cassé chantier à dessein de boire une liqueur aux fraises et de ce que la fille des voisins se sauçait le gros orteil dans les eaux benoîtes du Lac-à-la-Tortue pour dire à Japhet:

— C'est pas les belles filles qui manquent dans le coin.

— ..., rétorqua Japhet.

— La connais-tu cette fille-là?

— Qui ça, père?

— Celle qui a un brayet deux-pièces en polyamide et lycra finement rayé et bordé d'une ganse contrastée.

— Venise Vésaulniers?

— En plein elle. La connais-tu la petite Vésaulniers?

Japhet rougit:

— Au sens biblique, père?

— Me semble que ça te ferait une bonne femme sur un bateau.

— Père, ne trouvez-vous pas que vous y allez un peu vite? Le mariage dans nos sociétés industrialisées en proie à des bouleversements sociaux profonds correspond à un schème passéiste qui...

— Ces choses-là sont difficiles à dire pour un père. Grosso modo, nous sommes munis d'organes génitaux qui, en plus de procréer, nous procurent un plaisir dit sexuel.

Le soir même, Japhet, gagné aux idées de son père par la noble harangue, faisait un tour de yacht avec Venise. Victime de son premier mal de mer sur les eaux endormies du Lac-à-la-Tortue, il comprit à la sollicitude de la jeune fille que son père avait raison: Venise ferait une bonne femme sur un bateau, bien meilleure que lui, il l'avouait sans honte. Les desseins de Yahvé sont insondables: trois semaines plus tard, les trois frères prenaient femme. Il est vrai que le clan Vésaulniers n'avait d'abord pas vu d'un bon oeil le mariage de Venise avec un homme cinq fois plus âgé qu'elle. *Te rends-tu compte? Un homme qui pourrait être ton arrière-grand-père?* Mais considérant les économies substantielles d'un mariage triple, ils s'étaient rangés. C'est ainsi que Venise compta parmi les élus.

À la fin de l'été, l'arche était enfin prête. Du chalet de Noé, il ne restait plus que les fondations, tout ayant été récupéré, y compris la splendide porte d'aluminium à motif de flamant rose (légère et facile d'entretien) devenue porte du capitaine.

L'étonnement moqueur des voisins (parmi lesquels il faut hélas compter les Vésaulniers) fut à son comble quand arrivèrent les animaux. Les espèces rares avaient d'abord posé quelques problèmes qui furent résolus pour le plus grand bénéfice des animaleries de la région. Les journaux régionaux parlèrent de retombées économiques ressenties jusqu'à Trois-Rivières si bien qu'un aéropage de ministres annonça lors d'une conférence de presse la création d'un emploi (dix heures/semaine pendant trois semaines).

Noé se souvint de la parole de Yahvé:

— Procure-toi de tout ce qui se mange et fais-en provision.

Il alla à Grand-Mère faire une grosse épicerie, supputa les prix et fit ample provision de conserves, notamment de fèves au lard en boîtes de huit onces qui étaient justement soldées cette semaine-là. À raison de cinq cennes par boîte et de quatre cent cinquante-huit boîtes, il économisa ainsi 22,90$.

Japhet s'offusqua de ce qu'on lui refusait morilles, poivre rose et caviar et profita des arguties mathématiques de Noé pour ajouter subrepticement pois chiche et cassoulet en grande quantité. Venise, végétarienne, naturopathe et secrètement tantriste, réussit à faire admettre les lentilles. "En autant que ça ne cause pas de chicane entre les gars, je veux bien" avait concédé Noé.

* * *

Quand on eut annoncé à la radio que le match des Expos était contremandé à cause de la pluie (le stade étant toujours privé de son toit), Noé et les siens comprirent que les temps étaient accomplis. Le patriarche à leur tête, arborant la casquette orangée aux armoiries de la quincaillerie du village, tous montèrent dans l'arche, les hommes et les femmes par couples et avec eux les animaux mâles et femelles, par couples.

Les sources du grand abîme jaillirent et les écluses du ciel s'ouvrirent. Et la mer se mêla au fleuve, et les eaux du fleuve aux eaux de la Saint-Maurice. Et il n'y eut plus de séparation entre les eaux du Lac-à-la-Tortue et les eaux de la Saint-Maurice. Aurait-on voulu distinguer les eaux de terre des eaux du ciel que c'aurait été impossible n'eût été des pitounes qui flottaient çà et là.

Le soir du premier soir, quand la porte fut fermée sur Noé et qu'on eut entamé la provision de fèves au lard en boîte, tous, hommes et femmes descendirent dans les cales sous prétexte de voir comment les animaux supportaient le voyage. Ils avaient bien un autre motif d'agir ainsi et on le leur pardonnera: ils allaient admirer leur *belle ouvrage*. C'était en effet de la bien belle ouvrage: l'étanchéité était parfaite. Aucune fuite d'eau à signaler dans les aquariums. De la dorade au requin, de la langouste au calmar, du coelacanthe au crapet-soleil, les animaux par couples survivraient comme l'avait voulu Yahvé.

Ris donc Germaine ou le mauvais exemple

Jean-Marie POUPART

La personne qui a un bon sens de l'humour s'estime intelligente, on le sait. Or, comment se penser fin et subtil sans fatalement se prendre très au sérieux? Et par où, mon Dieu! le rire peut-il s'introduire au coeur de ce paradoxe...?!

Jean-Marie Poupart a surtout publié des romans. Professeur, chroniqueur littéraire à la radio, critique de cinéma à *l'Actualité*, il a toujours eu une passion pour ce qu'on appelle aujourd'hui le polar, sujet auquel en 1972 il a d'ailleurs consacré un essai. Il a participé à la fondation de la coopérative d'édition Les Quinze et il a fait partie du premier bureau de direction de l'Union des écrivains québécois. Jean-Marie Poupart a fait paraître ces dernières années plusieurs livres destinés aux enfants. Il prépare actuellement un roman qui s'intitulera *Contrebasse solo*.

Livres de fiction:

Angoisse play, Montréal, Éditions du Jour, 1968. Nouvelle édition revue, Montréal, Leméac, 1980.

Ma tite vache a mal aux pattes, Montréal, Éditions du Jour, 1970.

C'est pas donné à tout le monde d'avoir une belle mort, Montréal, Éditions du Jour, 1974.

Bourru mouillé, Montréal, Stanké/Quinze, 1975.

Ruches, Montréal, Leméac, 1978.

Terminus, Montréal, Leméac, 1979.

Une journée dans la vie de Craquelin 1er, roi de Soupe-au-Lait, Montréal, Leméac, 1981.

Fuites et poursuites. En collaboration. Montréal, Les Quinze, éditeur, 1982.

Drôle de pique-nique pour le roi Craquelin, Montréal, Leméac, 1982.

Nuits magiques, Montréal, la Courte Échelle, 1982.

Vous ne la trouverez pas drôle drôle. Je vous connais, allez. Vous ne la trouverez pas drôle. Pourquoi...? Eh bien! parce que vous n'appréciez pas les histoires grossières. Non, vous ne raffolez pas du comique de basse extraction, vous préférez que ça reste subtil et que... (Je ne vais quand même pas leur dire que mon personnage leur ressemble: voilà justement ce qu'elles seraient incapables de digérer, ces pomponnettes, ces pauvres madames aussi mal parfumées que les liqueurs distillées à la va-vite qui occupent la presque totalité de la première rangée du magasin de la Société des alcools auquel je m'approvisionne chaque jeudi, entre seize et vingt heures. Je vous y croise parfois...? N'insistons pas là-dessus, voulez-vous... En somme, tel est mon public. Des madames. Des madames, quelques jeunes chômeuses, deux ou trois employés de la bibliothèque plus ou moins enchantés d'avoir été désignés pour m'accueillir et qui font tapisserie au fond de la salle. C'est toujours comme ça quand on m'invite à faire une lecture. Le silence est chargé d'anges passeurs trappeurs fourreurs et de saintes nitouches en étoles de chez Sirbain. Je m'éclaircis la voix. Je résume le bout où j'ai expliqué en long et en large comment il se fait que, depuis la mort de son mari, Germaine habite chez sa fille, rue Cousins, à Saint-Jean. Je saute la partie où, pour se distraire, elle décide de suivre des cours de conduite automobile: elle constatera après quatre mois que tout ce que le moniteur aura réussi à lui montrer, c'est comment écraser les mouffettes qui traversent les routes de campagne. J'en arrive donc rapidement au moment où elle prend la résolution de se tuer. Tout bonnement, oui. Elle

185

vient d'assister avec un groupe de l'Âge d'or à la représentation d'une pièce de Janette Bertrand mettant en vedette Juliette Huot. Germaine a d'ailleurs tenu à se rendre en coulisse rencontrer la comédienne. "Moi aussi, je manque d'attention. Vous m'avez ouvert les yeux sur mon sort. Je vous remercie beaucoup." "Tant mieux, tant mieux..." a répondu l'autre mais déjà quelqu'un la tirait par la manche. Germaine aurait pu revenir à la charge, insister, donner plus de détails: il est sûr alors qu'elle aurait raté son autobus et ça, non, non, pas question!)

Mettre fin à ses jours, ce n'est pas si simple... D'abord, Germaine tenait à faire une morte sinon mignonne, du moins acceptable. Et pour ça, il lui fallait perdre entre seize et vingt kilos. Elle ne voulait pas ressembler à Marie-Marthe, sa meilleure amie décédée trois mois plus tôt, si obèse et si bouffie qu'il était absolument impossible de la prendre au sérieux, là, couchée dans le cercueil, les mains croisées sur la bedaine, treize chapelets à la douzaine. On aurait pu gager qu'elle allait ronfler, oui, oui, je vous jure... En outre, Germaine estimait primordial de suivre une diète très très très équilibrée: elle craignait plus que tout de perdre la boule, comme d'ailleurs c'était arrivé aux deux tiers de ses connaissances qui avaient entrepris de maigrir en trois coups de cuiller à pot. Capotée, forcenée, écumante, voulez-vous me dire qui accorderait à son geste la moindre portée, le moindre crédit?! Elle se devait de conserver sa lucidité jusqu'au dernier instant. Car, n'ayons pas peur des mots, Germaine se suiciderait pour l'exemple. Elle se suiciderait pour proclamer avec Janette Bertrand que cela relève purement et simplement de l'effronterie que de prêcher le courage aux petites vieilles et aux petits vieux. Voilà en quoi consistait sa mission. Elle se voyait volontiers pousser l'ultime soupir dans une sorte d'anonymat rouge massacre, sans aucun témoin à ses côtés pour rapporter telle ou telle de ses paroles, personne, pas un chat — même échaudé, même fouetté, même en bouillie —, cela à l'instar de ces solitaires mal planqués qui périssent au cours de cataclysmes non retransmis à la télévision. Ah! provoquer un deuil vague et tâtonnant, une affliction rendue cent fois plus troublante à cause justement de son caractère insaisissable...

— As-tu aimé ta soirée au théâtre?

Germaine sursaute, hoche la tête. Elle s'aperçoit qu'égarée dans ses songeries, elle a beurré son muffin deux fois et taché la nappe. La questionneuse, c'est Véronique, sa petite-fille, qui s'apprête à partir pour l'école. Et soudain, voici l'équivalent de la partition du cymbalier dans *l'Homme qui en savait trop* d'Alfred Hitchcock, ça la frappe en plein front, Germaine, ça la renverse: son désir de se supprimer n'a rien à voir avec ses tendances bon public, ce n'est pas un caprice de spectatrice mieux disposée que la moyenne: elle se sent en effet déterminée mordicus à passer aux actes. Grondement, explosion, fracas. Elle ramène les pans de sa robe de chambre mauve sur l'eczéma de ses mollets. Une gorgée de café froid. Elle sourit à Véronique. Elle se mettrait à pleurer et elle aurait en ce moment les meilleures excuses du monde. (À propos, c'est quoi, les meilleures excuses du monde pour se mettre à pleurer? Mes madames me dévisagent avec leurs yeux ronds comme des perles de culture gréco-latine à gros grains, ronds comme les boules à mites qu'on cueille par grappes dans les plantations chic de quelques contrées tropicales et qu'on vend sans doute ici dans l'une ou l'autre des boutiques mi-vogue mi-raison qui ont pignon sur rue en face de l'édifice qui abrite la bibliothèque. Qu'est-ce que vous voulez que ça leur fasse, à mes madames, que Germaine renonce provisoirement à se jeter à l'eau du haut du pont Gouin parce que ça lui prendrait un escabeau ou un tabouret et qu'elle n'a aucune espèce de tentation de provoquer un embouteillage de curieux, si minime soit-il...? Et puis, imaginez qu'on pourrait la secourir en vitesse, la sortir toute trempée de la rivière Richelieu, lui administrer très promptement la respiration artificielle, la ranimer... Oh! que ce serait humiliant de s'en tirer avec un simple petit refroidissement alors que ce qu'elle désire par-dessus tout, elle, c'est le grand de grand, c'est le grand de grand de grand refroidis-

187

sement!) Elle ne s'apitoiera pas sur son sort. (Je tourne cinq, six pages. Je m'arrête. Je laisse s'écouler quelques secondes. Je fais mine de me concentrer.) J'ai omis de vous lire la partie où Germaine règle ses problèmes de testament. Vous pourrez toujours aller fouiller quand l'ouvrage sera en librairie. Je dois quand même penser un peu à mes droits d'auteur... (Je me pince la joue. J'enchaîne.) Se confesser. Bonne idée, ça! Seulement, Germaine ne se rappelle plus exactement les formules. Ainsi, jusqu'où doit-on se rendre dans la récitation de l'acte de contrition pour bénéficier de l'automatique pardon de l'Éternel...?! Bah! au fond, ça lui est bien égal. Elle a cessé de croire aux curés il y a huit ans quand Paul, son mari, est mort d'un infarctus en faisant la quête pendant la messe de neuf heures, le dimanche de Pâques. Sa décision de ne plus remettre les pieds à l'église — sauf, bien entendu, pour les baptêmes, les mariages et les funérailles —, elle l'a annoncée avec calme à la famille rassemblée pour la ripaille consécutive à l'enterrement de Paul et, contrairement à ce qu'elle aurait pu redouter, ça n'a offusqué ni ses filles ni ses gendres. Ça leur est rentré par une oreille, ça leur est sorti par l'autre. Germaine souffrait, elle le disait, mais comme d'habitude ses proches refusaient de lui prêter attention. Ils fermaient les yeux, haussaient les sourcils: "C'est sa douleur qui parle. Respectons sa douleur." Misère! (Misère de misère! mes madames ont l'air désolées... Moi qui devais les faire rire! Il y en a quatre ou cinq que j'ai scandalisées, c'est sûr. J'ai l'impression que celle qui a proposé de m'inviter va passer un méchant quart d'heure à la prochaine réunion des Amies de la bibliothèque, ça oui!) Germaine avait été jadis une chrétienne très ardente. Par exemple, elle priait durant la copulation. Son défunt priait aussi. À tout le moins fredonnait-il une comptine: "Une perdriole qui va, qui vient, qui vole..." Germaine priait et sa sainte patronne, pas bégueule pour deux avé maria et vardigaude dépareillée, sa sainte patronne l'exauçait au maximum, la comblait de grâces — dont celle de la jouissance qui, comme vous le savez, n'est pas accordée à tout le monde — bref, sa sainte patronne l'exauçait, la comblait avec une telle diligence et si brutalement même que souvent les époux en restaient tout ébaubis, tout sonnés. Jeune, Germaine était très jolie et le Créateur comprenait fort bien qu'elle se trémoussât allégrement le cul: il n'y a qu'aux laides qu'Il envoie la vocation, c'est connu, c'est prouvé! Le trépas de Popaul fut donc en premier lieu considéré comme une incorrection, comme une indélicatesse, comme une faute de goût et, pour quelqu'un qui a déjà de fortes prédispositions à la mécréance, il ne fait aucun doute que les manifestations de la balourdise de Dieu constituent ni plus ni moins la preuve de Son inexistence. C'est paradoxal mais c'est comme ça. Donc, Germaine était devenue athée. Au bout de son rouleau, la ferveur chez elle était tombée à plat, aussi à plat que l'électrocardiogramme de Notre-Seigneur Jésus-Christ qu'elle se plaisait à se représenter, caché au creux du tabernacle de l'église de Saint-Edmond. Ces choses étant admises, la confession lui faisait quand même envie. Elle se figurait que le prêtre utiliserait des techniques, des procédés nouveaux, quelque approche comparable aux trucs, à la batterie de trucs — à commencer par toute la mise en scène entourant la cérémonie de la pesée — déployés par la diététicienne pour vous rendre fier de ce quart de kilo perdu en sueurs depuis la dernière visite... Se confesser, oui, et ensuite aller communier, exposer à l'officiant sa langue épaisse et verdâtre de vieille pénitente enrhumée, lui en donner pour sa peine, quoi!

Germaine avait toujours refusé les invitations de Fernand Gervais, maître d'école à la retraite, organisateur naturel — mais tataouin, mais quintilleux — particulièrement actif au club de l'Âge d'or. Les yeux plissés, coquet au point de ne porter ses lunettes que dans le privé, rond-de-cuistre, quoi! il citait à tour de bras Rinlaine, Verbaud et tutti quanti. En général, quand entre deux soupirs un homme déclare à une femme: "J'aimerais tant que vous me montriez votre vrai visage", c'est parce qu'il souhaite voir son cul. Voilà ce que Germaine s'était répété à maintes et maintes reprises en repoussant, rabroueuse, les avances du faux dilettante mais, était-ce d'avoir maigri récemment? était-ce d'avoir par le fait même recouvré un brin, une pointe, une once de ses anciens charmes? ce soir-là, elle s'exclama: "Pourquoi pas?" et se retrouva avec Gervais dans le plus fesses-serrées des restaurants italiens du centre-ville. En entrée, ils commandèrent des spaghetti. Gervais goûta le vin — ni un picrate, ni un millésimé, un honnête rouge, sans plus — avec immensément de soin, presque avec recueillement — aïe! ce geste qu'il devait juger gracieux et qui ne réussissait qu'à paraître maniéré: la paume relevée, le pied du verre coincé entre l'index et le majeur... S'il goûtait dandy-dandin, par contraste il buvait en goulu, par lampées et ça lui dégouttait de temps à autre au bout du menton. Se penchant, couvrant l'assiette de son ombre, il avait des mimiques de rapace. Quant à Germaine, hors de la maison, elle mangeait avec une telle retenue qu'elle salissait à peine ses ustensiles. Sa diététicienne lui ayant conseillé de couper les pâtes, elle fractionnait ses spaghetti en tout petits morceaux. Joli couple! Gervais réclamait une seconde bouteille. Germaine, elle, remettait de cinq minutes en cinq minutes le moment d'exposer ses projets de suicide. Enfin, elle se leva. "Excusez... Je reviens." Les toilettes du restaurant étaient très malpropres mais il faut reconnaître qu'on n'a pas encore découvert de meilleur moyen d'éloigner les mouches des tables. (Hum! Observant la réaction de mon auditoire, je me demande s'il ne serait pas préférable que je biffe les deux dernières lignes... Même chose pour le paragraphe où, laissant tomber toute velléité de galanterie, Fernand a chaussé ses lunettes: de la buée s'y est formée parce que le bonhomme a la tête à quelques centimètres seulement du plat dont il s'empiffre; des cernes aussi — à chaque gorgée de vin, il y colle son verre.) De retour à sa place, Germaine entreprit de lancer et de relancer la conversation, exercice qui s'avéra aussi passionnant que de laver le mélangeur à aliments la première journée d'un nouveau régime. Doux Jésus! on n'en finit plus d'essuyer les pièces... Gervais ne pouvait partager ni les petites angoisses ni les gros tracas de Germaine pour la bonne et simple raison qu'il s'employait à devenir immortel.

À partir d'un certain âge, comme beaucoup d'autres, il s'était interdit de compter les années. Qu'il fût d'une absolue nullité en calcul mental et qu'il se prît — par ricochet? — pour un poète postromantique lui facilitaient grandement la tâche. (D'ailleurs, si on aspire à l'éternité, il convient de se prendre pour un poète — d'avant-garde ou d'arrière-boutique, aucune importance —, ça n'est jamais déplacé, non.) Germaine renonça à aborder le sujet de la mort, préféra calomnier les principaux organisateurs du club — qu'elle traita de gros tapiocas —, risqua quelques sarcasmes, etc. L'autre parut indigné et cessa de lui faire du pied entre les pattes de la table. "Avez-vous remarqué, Fernand...? Les gens qui se scandalisent d'entendre une méchanceté sont ceux-là qui ont le plus tendance à s'apitoyer sur eux-mêmes... Curieux, hein!?"

(On sait que Germaine a rejeté l'idée du plongeon depuis le pont Gouin. L'hypothèse de se faire flamber à l'essence super au milieu de la Place du Marché lui paraît tout aussi intempestive. Ça ne lui sourit pas davantage, non. "Je vous demande pardon... Ce ne sera pas très long. Poussez un peu la table de citrouilles, s'il vous plaît. Et avancez votre camionnette: la fumée risque d'abîmer les choux-fleurs..." Allons, n'insistons pas là-dessus.) Chose certaine, il vous faut songer à vous euthanasier quand vous en avez encore la force et l'énergie, avant de devenir égrotant sénile gâteux parce que, là, sous prétexte de respect des hautes valeurs morales, personne ne voudra s'en charger — surtout pas les jeannedarquebuses qui vous l'auront traîtreusement promis un mois auparavant. Peut-être alors n'oserez-vous même pas suggérer qu'on vous débranche: la drogue a de ces ruses! Germaine en connaissait un bout là-dessus puisque voilà précisément ce qui était arrivé à son amie Marie-Marthe. Enfin, presque... En tout cas, on pourra difficilement nier qu'avant d'entrer à l'hôpital, Marie-Marthe était accablée... Abattue, prostrée, désespérée, etc. Il serait opportun de mentionner qu'elle avait même essayé de tirer sa révérence une fois ou deux. Mais, à mesure que son état allait se détériorant, elle s'était mise à lutter: mauvaise influence des médecins et des infirmières.

"Vous devez vivre votre maladie jusqu'au bout, madame Fortin", lui répétaient-ils jour et nuit — comme si on pouvait vivre une maladie! "Courage, madame Fortin, courage et résignation!" N'empêche qu'on avait des égards pour Marie-Marthe, des égards, oui, ce qui ne s'était pas produit très souvent dans son existence de drôlesse. Moribonde, elle se sentait enfin aimée et ça la chagrinait, araignée du potin, que de quitter ce monde à soixante-neuf ans et demi, quand les choses commençaient un peu à s'arranger. "Si vous n'êtes pas déboussolé, qui fera attention à vous? Ah! le terrible désarroi des gens normaux que personne ne prend la peine d'écouter, de regarder..." Cette tirade, Germaine l'insérerait dans sa lettre ouverte au *Canada français*. Et elle fignolerait tellement sa phrase que la rédaction du journal serait persuadée d'avoir affaire à quelque plaisantin. À l'instar du cabot, du conteur, le plaisantin adore en mettre et en remettre. Il commet volontiers une flopée de fautes d'orthographe, espérant ainsi faire plus authentique. Or, les fautes, c'était justement la spécialité de Germaine, les fautes à l'intérieur d'un style relevé, j'entends, parce que ces dernières années, elle avait lu, relu et annoté tous les ouvrages de Françoise Sagan. Quelle blague! Cela étant posé, des lettres de bonnes femmes qui annoncent leur suicide, reconnaissez que ce n'est pas très courant dans la presse de province. Voilà sans doute pour-quoi le chroniqueur aux mondanités composerait le numéro inscrit sous la signature, histoire de vérifier si... Et Germaine nierait tout, évidemment. (Je suis distrait. J'ai l'esprit ailleurs, à vingt mille lieues de cette bibliothèque dorée. Évoquant la chambre où agonisait Marie-Marthe, m'est revenue en mémoire cette grosse boutade: le gars, on lui a fait une lobo-tomie et, en effet, il ne se plaint plus de ses épouvantables migraines; donc, ça va bien, il se promène dans les couloirs vêtu d'un ample pyjama blanc, il se croit guéri; le hic, c'est que dès qu'il sera sorti de l'hôpital et qu'il aura recommencé à porter ses affreux petits slips serrés, aïe! aïe! J'ai le fou rire. L'auditoire a peine à s'expliquer mon comportement...) "Bref, pas question de me rater, autrement je m'expose à m'apitoyer sur moi-même, je m'expose à virer mollasse comme Marie-Marthe..." (Je pouffe. Je dois me pincer. Pourtant, je n'ai presque pas bu avant de venir m'installer à cette tribune. Le mieux serait que je leur propose une pause. Ouf! pas très euphonique, ça! En conscience, je ne vois pas comment je vais pouvoir accepter leur chèque... Bah!)

Excusez-moi... La fatigue, la fatigue... Puis, je vous avais prévenues: mes trucs n'ont rien de franchement désopilant... Tant pis... Si vous le voulez bien, nous allons quand même nous ressaisir, nous allons nous ressaisir ensemble. (Je récolte quelques mimiques doucereuses.) Les jeunes se figurent que la diminution des capacités intellectuelles entraîne automatiquement chez les vieux une baisse de l'efficacité.

Mais l'expérience... Ça sert à quoi, l'expérience, hein?! Et, ainsi de suite. La lettre ouverte de Germaine était farcie de semblables lieux communs: vous comprenez mieux maintenant pourquoi j'ai choisi de vous en faire grâce... Permettez-moi plutôt de vous lire un petit quelque chose en forme de digression. (Je refrène la tentation de me lancer dans un exposé à parfum de rhétorique, cette eau de rose des facultés de lettres, ce patchouli des soutenances de thèses...) Nous retrouvons Germaine assise dans le parc modèle réduit situé non loin de l'hôtel de ville. En face d'elle, une maman nourrit son bébé. Pas au sein, non. Un pot de ci, un pot de ça, etc. (Malgré les deux cent cinquante écriteaux d'interdiction que j'ai dû voir depuis mon arrivée, un des employés s'allume une cigarette.) Avant de la tendre à l'enfant, la mère mettait la cuillerée de purée dans sa bouche à elle. C'était son côté pélican. Il fallait de plus observer le soin, l'application avec laquelle l'enfant se pourléchait les babines. Oh! qu'il avait la langue rose! Et longue! Il portait un chandail jaimepapajaimemaman de couleur jaune d'oeuf.

— Comment s'appelle-t-il?
— Chewbacca.
— Quoi?

— C'est un personnage du film *la Guerre des étoiles*. Chewbacca. Chewbacca Thibodeau. À sa naissance, il avait beaucoup de cheveux et mon mari a voulu que...

Comme pour marquer sa désapprobation, Chewbacca Thibodeau commença à vomir sur son chandail. Germaine se leva et déguerpit aussi vite que ses vieilles jambes le lui permirent. Dans les civilisations où ce sont les grands-parents qui décident de tout, on n'a pas de ces extravagances dans les noms de baptême, extravagances dues à la popularité de telle vedette de cinéma, de tel joueur de hockey... Au moins, sa petite-fille n'aurait pas à rougir de s'appeler Véronique. Germaine aimait bien bavarder avec elle. C'était une fillette délurée, maligne. Certes, elle ne se comportait pas toujours comme quelqu'un d'équilibré, mais essayez donc de mettre de niveau une horloge placée sur un tas d'oreillers élimés, flapis et mal aérés! Véronique vivait au-dessus d'une montagne de linge sale jamais jamais jamais lavé en famille — c'est ce que se répétait la grand-mère — et elle avait déjà passablement de mérite à ne perdre la maîtrise du pédalo qu'une ou deux fois par mois. Germaine marmonnait en marchant. (Qui soliloque n'a même pas l'assurance — ou la consolation — qu'au moins il ne s'entretient pas avec un abruti...)

Vous savez, Germaine ne se faisait pas trop d'illusions non plus au sujet de Véronique et des jeunes de cet âge-là: la dernière fois qu'on avait eu la gentillesse d'inviter la grand-mère à une fête d'enfants, ç'avait juste été pour lui confier la tâche de gonfler les ballons et elle avait eu les poumons comme les fournaises de l'enfer pendant au moins trois jours.

Quant à ses anniversaires à elle...

Récemment, elle avait reçu en cadeau une boîte de fer-blanc remplie de billets de dix et de vingt dollars pliés en éventail. "Vous vous achèterez ce que vous voudrez, la mère..." Il y avait un ruban rouge tendu à travers la salle à manger. Sur ce ruban, des épingles à linge retenaient des cartons de couleurs vives où on avait collé un O, un Y, un N et ainsi de suite de façon à former JOYEUX ANNIVER-SAIRE avec un point d'exclamation en paillettes dorées à la fin. Touchant, hein...? Pendant le repas, la plupart des cartons étaient tombés par terre et on avait marché dessus. À l'heure du gâteau avec les bougies à souffler, Germaine avait jeté un coup d'oeil à la chouette empaillée trônant sur le vaisselier de chêne. "Je souhaite que tu reviennes à la vie, oiseau de nuit, je souhaite que tu t'abattes sur cette table et que tu crèves les yeux de tous mes enfants!" avait-elle alors énoncé en secret. Mais elle s'en était aussitôt voulu d'avoir osé formuler pareille malédiction et elle avait immédiatement fait son mea-culpa. L'année précédente, on lui avait offert un four à micro-ondes, du genre qui peut changer le rôti du dimanche en une mini-bombe atomique, et Germaine avait également eu beaucoup de peine à s'empêcher de faire le voeu que son foyer douillet se transformât en caveau de famille. (Eh bien! j'aurai quand même réussi à me ressaisir. J'ai lu le paragraphe d'une voix nette et assurée. Mes madames en soupirent d'aise. Je m'accorde de nouveau la permission de passer par-dessus quelques pages, entre autres celles où le personnage se demande si c'est bien vrai qu'il y en a qui font le voyage Chicoutimi-Montréal ou Rouyn-Montréal rien que pour se suicider dans le métro.)

Pendant le chapitre qui suit, Germaine se met à couver son désarroi en mère poupoule qu'elle est. Elle en perd le sommeil. On sent qu'elle ne tardera pas, démanchée, démantibulée, à basculer dans la plus folle démence. Un après-midi, elle prend un taxi et se fait conduire non loin d'un bois à Saint-Blaise, histoire d'aller parler avec les bouleaux. "Oh! nous ne manquons pas de sujets de conversation. Nous échangeons par exemple des commentaires sur nos corps pelés. Et sur le fait que nous soyons moins photogéniques que les sapins et les épinettes." Etc.

Véronique avait, en parfaite langue de vipère, lancé une invitation à ses camarades de classe: "Soyez devant chez-nous à midi. Ils doivent venir chercher la grand-mère pour l'amener à l'hôpital et ça ne lui plaît pas du tout. Ça risque même d'être drôle. Chut! il y a un chat qui nous écoute, là, derrière la clôture..." Au moment où elle apercevrait la vingtaine de fillettes attroupées sur le trottoir, Germaine déciderait de ne pas tromper les attentes de son public: elle se mettrait à trépigner, à hurler, elle mordrait même un des ambulanciers. Le véhicule jaune quitterait la rue Cousins sous les applaudissements des écolières excitées.

— Et ça fait combien de temps...?

— Quatre ou cinq mois.

— Ça fait cinq mois que vous avez perdu votre carte d'assurance-maladie et c'est maintenant que...?

— Oui.

— Pour une vieille personne, vous êtes plutôt en forme, vous!

La remarque de la réceptionniste était déplacée, certes, mais cela n'empêcha pas Germaine de se sentir très flattée. (Je laisse de côté tout ce qui concerne l'admission, les examens, la rencontre avec le psychiatre, la médication...) "Ne compte pas sur moi, écrivait trois jours plus tard Germaine à Véronique, non, ne compte pas sur moi pour te tenir des propos ensanglotés... Je n'ai pas de dictionnaire. Vérifie donc si ce mot-là existe. J'ai emprunté un crayon à ma voisine de chambre, ce qui explique cette écriture empâtée que tu ne reconnais sans doute pas. Dis à ta mère de... Non, ne lui dis rien..."

Venons-en au fait.

À Saint-Jean, ce n'est pas exactement comme dans certains hôpitaux de la région métropolitaine où les architectes ont eu l'idée coquine de placer des balcons au bout des ailes phychiatriques afin de faciliter les choses aux patients désireux d'en finir... Nous retrouverons donc Germaine entre ciel et terre, seule sur la plate-forme mobile des laveurs de vitres, lançant des imprécations contre l'humanité entière. Ne me demandez pas comment elle a pu monter jusque-là. Je constaterai simplement que pour quelqu'un qui a eu le temps de s'attacher un tant soit peu au personnage, voilà une situation décidément bien attristante. Il est entre dix et onze heures. Un très gros plan saisi au téléobjectif nous montrerait une Germaine mal réveillée et sous l'effet des sédatifs, avec encore d'infimes morceaux de chair de pamplemousse coagulés entre les cils. Non, elle n'est pas gigantesque, la grand-mère. Elle ne tient pas non plus un petit gorille dans le creux de sa main comme sur ce poster féministe où, par le biais du mythe de King Kong, tous les mâles en prennent pour leur rhume de cerveau, ce poster dont les murs sont placardés depuis quelques mois... Elle est minuscule et elle gueule à tue-tête. Au-dessous, les curieux s'entassent. À l'époque où Popaul et elle formaient un couple de jeunes mariés, Germaine se souvient de ce film qu'ils étaient allés voir lors d'un bref voyage à Ottawa. Et depuis, elle imagine ainsi les affres de la géhenne: Esther Williams est debout sur le plus haut tremplin et elle sourit tandis que dix mille figurantes en maillot vert nanane et rose lime frétillent et froufroutent aux quatre coins de la piscine, les lèvres pincées, dans l'espoir inavoué que la vedette manquera son plongeon et viendra s'écraser sur le faux marbre des dalles comme une tomate mûre. En bas, représentant officieux de tous les clubs de l'Âge d'or du pays, Fernand Gervais s'avance lentement entre les voitures. Les bras écartés, le collet démonté, on dirait qu'il va se mettre à chanter. Et, avec cette séquence ratée d'une mauvaise comédie musicale, c'en est trop, la mesure est comble: Germaine aperçoit Fernand et, prenant tout le monde par surprise, à commencer par les pompiers rendus aux trois quarts de leur échelle, elle saute dans le vide. Deux des passantes qui tout à l'heure pour mieux observer la scène ont posé sur le sol leurs sacs à provisions, deux des passantes ne réussissent pas à s'écarter assez vite et reçoivent en pleine fiole la masse gesticulante de Germaine. On entend un grand crac! Et c'est la mêlée.

(Je reprends mon souffle. Au moins, les chômeuses semblent avoir apprécié ce dernier morceau de bravoure. Mes madames, elles, n'osent pas trop remuer. J'en dévisage une, là, qui se pelotonne aussitôt dans son étole de fourrure synthétique.) "Acceptez ma mort. Acceptez-la: cela reste la meilleure manière d'empêcher mon âme de rôder dans vos rêves." Voilà la note que Germaine aurait pu adresser à

Véronique si elle avait fréquenté le couvent des soeurs un peu plus longtemps dans son adolescence et si elle s'était ensuite moins abîmée dans la prose de *Bonjour tristesse* et d'*Un certain sourire...*

Comme d'habitude et non sans quelque étonnement, sa fille, son gendre, ses proches en général ne tardent pas à constater qu'au fond ils l'aimaient vraiment beaucoup, la vieille Germaine: l'indifférence n'est-elle pas une des formes les plus répandues de l'affection...? Même Aline, la cousine de Floride, qui d'ordinaire ne revient au Québec que pour les vernissages de Muriel Millard, même Aline devra faire un énorme effort pour ne pas éclater en sanglots pendant le service funèbre.

(Et toc! Je range mes papiers dans ma serviette. C'est terminé. J'attends les questions. Maintenant, le pire qui pourrait m'arriver, ce serait qu'une des madames se lève, s'avance jusqu'à la tribune et, la voix tremblante, sous le sceau de la confidence, l'air de la poule qui ne se rappelle plus dans quel panier elle a pondu son oeuf, vienne me dire que mon texte est du genre qui donne matière à réfléchir, qu'elle aussi manque considérablement d'attention, que l'histoire de Germaine lui a ouvert les yeux, etc. Là, je ne sais pas du tout ce que je fais...)

Ça devient clair en 1984

Yolande VILLEMAIRE

Ce qui est comique ce sont les sons.

Yolande Villemaire est née à Saint-Augustin-des-deux-Montagnes, le 28 août 1949. Elle détient un baccalauréat spécialisé en art dramatique, une maîtrise en études littéraires et prépare une thèse de doctorat en création. Elle est professeure de littérature au niveau collégial depuis 1974.

Yolande Villemaire a collaboré à *Hobo-Québec, Jeu, Spirale, Le Jour, Mainmise, La Barre du Jour, La Nouvelle Barre de Jour, La Vie en rose, Cul-Q, Sorcières, Cheval d'attaque, Cross Country, Room of One's Own*. Elle a reçu, en 1980, le Prix des jeunes auteurs du *Journal de Montréal* pour son roman *La vie en prose*.

Livres de fiction:

Meurtres à blanc, roman. Montréal, Guérin, 1974. Coll. "Le Cadavre exquis", 4.

Machine-t-elle, poésie. Montréal, Les Herbes rouges, no 22, juillet 1974.

Que du stage blood, récit. Montréal. Cul-Q, 1977. Coll. "Exit", 2.

Terre de mue, poésie. Montréal. Cul-Q. 1978. Coll. "Mium/Mium", 20.

La Vie en prose, roman. Montréal, Les Herbes rouges, 1980. Coll. "Lecture en vélocipède", 25.

Du côté hiéroglyphe de ce qu'on appelle le réel suivi de *Devant le temple de Louxor le 31 juillet 1980*, proses. Montréal, Les Herbes rouges, nos 102-103, avril-mai 1982.

Ange amazone, roman. Montréal, Les Herbes rouges, 1982.

Adrénaline. Graphisme et photo de Michel Lemieux. Saint-Lambert, Éditions du Noroît, 1982.

Belles de nuit, textes radiophoniques. Montréal, Les Herbes rouges, 1983. Coll. "Lecture en vélocipède".

Les coïncidences terrestres, poésie. Montréal, La Pleine Lune, 1983. Coll. "Rrose Sélavy".

Jeunes femmes rouges toujours plus belles, poésie. Montréal, *Lèvres Urbaines*, 1984.

Rrose Sélavy à Paris le 28 octobre 1941, poésie/performance. En collaboration. La Pleine Lune, 1984. Coll. "Rrose Sélavy".

à Léane Arsenault
et à Marie-Andrée Lévesque

Mon nom est Solange Tellier. Je suis professeure de littérature au cégep Marie-de-l'Incarnation, campus de Lachine. C'est loin en bebitte. J'habite sur la rue Fabre, à côté de chez Maud Sorel qui est ma meilleure amie et qui enseigne ici, elle aussi. On prend le métro ensemble des fois, le trajet paraît moins long.

J'ai fini mon cours à onze heures mais j'ai décidé d'attendre Maud. On est vendredi et on a l'habitude, Maud et moi, d'aller souper ensemble à l'Express le vendredi. Comme elle a cours jusqu'à quatre heures, je vais en profiter pour travailler à mon bureau.

Je suis en train d'écrire un texte pour un numéro spécial de *La Nouvelle Barre du Jour* sur le thème de la femme et l'humour. J'ai intitulé mon texte: *Comment j'ai arrêté de manger comme une cochonne en écrivant ce texte comme dans le Sélection du Reader's Digest*. C'est un peu vulgaire je trouve. Au début, j'avais intitulé ça: *Comment j'ai arrêté de trop manger en écrivant ce texte comme dans le Sélection du Reader's Digest*, mais ça faisait moins punché.

Je sens une présence près de moi. Je lève les yeux de mon cahier: zoom in sur une paire de jeans fraîchement repassés, un pubis agressivement dirigé vers mon visage, deux cuisses solidement appuyées contre le rebord de mon pupitre. Je lève les yeux sur le petit chemisier de térylène beige, les breloques en or et je reconnais Claudine Damours de mon groupe du lundi. Ça fait bien trois semaines qu'elle ne s'est pas présentée au cours. Elle regarde horrifiée ma nouvelle coiffure. Clément s'est laissé emporter par son inspiration et m'a fait une tête un peu trop mauve au goût de mes étudiant(e)s.

Elle n'a encore rien dit mais je sens que ça s'en vient. Je prends une profonde inspiration et je lève candidement les yeux vers elle en disant: "Oui?" Elle n'attendait que ça: "Ça fait au moins deux semaines que je vous cherche: vous étiez jamais là." Je ne me suis pas absentée une seule fois depuis le début de la session! Mademoiselle aimerait que je sois là à l'heure et au jour qui convient à mademoiselle car mademoiselle ne daigne pas se présenter à son cours. Je sens la moutarde qui me monte au nez. Je m'étais jurée de mordre le prochain étudiant qui me dirait: "Vous étiez pas là." Mais il y a loin de la coupe aux lèvres. Je n'oserai quand même pas mordre. Encore, si elle avait les bras nus. Mais ce térylène beige me ferait sûrement grincer des dents. Je ne respire plus déjà depuis quelques secondes. Il faut que je fasse quelque chose sinon je vais suffoquer. Je me lève.

Je mets ma main sur son épaule, je la pousse doucement vers la porte, la forçant à marcher à reculons. Je souris de rage. Je ne savais pas qu'on pouvait sourire de rage. Si seulement on avait des rayons lasers pour tétanoser nos étudiants quand ils nous écœurent. Mais je me contente de sourire de rage en la faisant reculer jusque dans le corridor. Et je ferme la porte.

Ça ne se fait pas mais so what? Je ne suis quand même pas leur mère! J'aimerais ça lui voir la face à la petite Claudine Damours spécialiste en culpabilisation. Je ne suis plus capable d'entendre leur fatidique: "Vous étiez pas là." Ce matin au cours de huit heures, un jeune punk qui n'était jamais venu au cours est venu me trouver, juste au moment où j'allais commencer, pour me dire: "Je suis dans votre groupe de ce matin. Je vous cherche depuis le début de la session, vous étiez pas là." Mon sang n'a fait qu'un tour. J'ai fixé d'un regard glacial l'iris de ses yeux gris et je lui ai froidement répondu: "Non, j'étais en Australie" et j'ai commencé à faire l'appel.

Il était surpris. S'ils avaient au moins la subtilité de profiter du fait qu'ils me trouvent enfin (ce qu'ils peuvent faire s'ils ont la bonne idée de se présenter à leurs cours) pour me demander ce qu'il ont à me demander! Mais non: on dirait que l'essentiel de ce qu'ils ont à dire se résume à ce "Vous étiez pas là" revanchard et idiot.

Je marche de long en large dans le bureau, ressassant ma furie. Dix ans d'enseignement à deux cents étudiants par session qui répètent inlassablement: "Vous étiez pas là", ça use. Je me demande toujours de quel crime majeur d'abandon d'individu en détresse on m'accuse. J'ai faim.

Je descends à la cafétéria me chercher un lait. La madame de la cafétéria dit qu'elle aime la couleur de mes cheveux; ça me fait plaisir. Je remonte à mon bureau par l'escalier mobile et je tombe sur Leila dans le corridor qui mène à notre bureau. Elle est furieuse. Ses étudiants viennent de lui remettre le plan de travail qu'elle explique depuis deux semaines et, après un bref coup d'oeil à leurs copies, elle s'est rendue compte qu'ils n'ont rien compris. On se dit que ça serait vraiment bien d'inventer une autre sorte de rayon laser pour dissiper le brouillard dans leur tête. On rit. Leila et moi, depuis le début de la session, on projette de mettre au point la panoplie du prof bien armé pour survivre à ces générations d'androïdes programmés pour se plaindre de notre absence dans le passé. Personne n'a encore eu le *guts* de venir nous dire: "Vous êtes pas là." Bien que rien ne les arrête quand ils cherchent: combien de fois, devant le pupitre vide de Gérald ou de Lisette, un étudiant ou une étudiante demande: "Est-ce que Gérald est là?", "Est-ce que Mme Moisan est là?". À un étudiant qui, contre toute évidence, demandait si Leila était là, Maud a répondu, dans un de ses rares moments d'impatience: "Est-ce qu'elle a l'air là?"

Mais toujours est-il que c'est bien beau tout ça madame Chose mais j'en perds le fil de: *Comment j'ai arrêté de manger comme une cochonne en écrivant ce texte comme dans le Sélection du Reader's Digest.* Relisons-nous:

Qu'est-ce qui fait rire? Si je vous dis qu'Auschwitz, Dachau, Treblinka, c'était une façon de sevrer les Juifs du bon lait galactique de la vie, la trouvez-vous bonne? J'ai l'humour noir ce soir. Je pense à mon amie Gabrielle Lévy morte à Treblinka, je pense à Suzannah Kreutz morte à Dachau, à Celia Rosenberg morte à Auschwitz. Je n'ai pas envie de rire. Pas du tout.

Dana Khan me raconte les jambes et les mains de bois en vitrine à Auschwitz. On ne brûlait pas les prothèses dans les fours crématoires. Elle parle du froid de canard ce jour-là où son père l'emmène visiter le camp dans lequel est morte sa grand-mère. Elle parle des milliers de chevelures étalées comme des reliques morbides en mémoire de l'horreur.

Plus je cherche à être drôle, moins j'y arrive. Dana Khan dit que je devrais arrêter de penser à ça, me changer les idées. Elle dit: "On va-tu au cinéma?" Je dis: "Oui, bon, d'accord, c'est ça, allons au cinéma!" On va voir *Chambre 666* de Wim Wenders au Cinéma Parallèle. "J'ai le goût de manger du chocolat dès que je vois le chiffre 666" me dit Dana. Je lui demande si elle sait que c'est le chiffre de la Bête de l'Apocalypse. Elle dit qu'elle est spécialiste du chiffre 666 et qu'elle peut toute me l'expliquer si je veux.

Je dis que je veux bien mais on arrive au cinéma. Dana commande un gâteau au chocolat, je prends un thé au jasmin. C'est drôle, j'ai pas du tout envie de manger. Dana commence à m'expliquer que 666 c'est 18 bien sûr, la lune. Je dis: "Comment ça: 666 c'est 18?" Elle dit: "Ah oui, c'est vrai, t'es pas Changeur(e) de Signe(s) toi." Je demande c'est quoi ça: "Changeur(e) de Signe(s)?" elle dit que c'est une dimension d'un des mondes parallèles. Que dans cette dimension-là, elle est Changeur(e) de Signe(s). Qu'elle a une grosse tête de mutant gris souris, qu'elle est androgyne et qu'elle s'appelle alternativement Alee et Asa Lee. Je dis que je

veux bien mais que je ne comprends toujours pas comment 666 donne 18. Elle dit que les Changeur(e)s de Signe(s) calculent par enchâssement et réduction théosophique: 666 donne 6 plus 6 plus 6, ce qui donne 18. Qui correspond à l'arcane 18, l'arcane de la lune dans le Tarot de Marseille, je sais, lui dis-je.
Dana dit que la lune nous programme beaucoup plus qu'on ne le croit. Que notre bank de mental réactif est passivement soumis aux influx lunaires et qu'on ne peut pratiquement pas se libérer de ce magnétisme insidieux. "C'est pour ça qu'il faut absolument que je mange du chocolat dès que je vois le chiffre 666." Je dis que je ne vois pas pourquoi, mais le film va commencer d'un moment à l'autre: on ramasse nos cliques pis nos claques et on va s'asseoir dans le noir. Wenders a installé une caméra et un magnétophone dans la chambre 666 de son hôtel à Cannes et il invite Godard, Antonioni, Morissey, Spielberg et compagnie de l'autre côté de la caméra. Spielberg est déconcertant: il parle rien que d'argent. E.T. est peut-être moins mystique qu'on pense.

Dana me chuchote dans l'oreille tout le temps que Spielberg déblatère sur les millions que ça prend pour faire un film. Elle dit qu'Alee et Asa Lee sont programmés par une bebitte qui ressemble étrangement à E.T. et qui s'appelle A. Que cette bebitte est son thétan programmeur à elle — *un* de mes thétans programmeurs précise-t-elle — qu'il vit dans un laboratoire en orbite autour de Pluton. Qu'elle y va très souvent en rêve, qu'elle a retrouvé la mémoire des 64 avatars de son thétan en dianétique, que Spielberg, d'ailleurs et un scientologue, même que John Travolta est un O.T.5. Quelqu'un fait: "Chut." Dana se tait. Je ne saurai pas ce qu'est un O.T.5. Spielberg parle toujours: il a beau être scientologue, il fait pas mal money maker...

L'irruption d'une étudiante venue chercher son travail interrompt ma lecture. C'est Lucie Robidoux du groupe 13. Je cherche sa copie dans mon classeur. Ah! oui, c'est elle ça. Je lui ai mis vingt sur vingt tellement j'ai ri! Je lis son compte rendu à haute voix à Maud qui vient d'entrer dans le bureau où elle est venue fumer une cigarette pendant que ses étudiants sont en break.

Compte-rendu d'un spectacle

Je suis allée voir "La Californie", une création collective présentée au théâtre "Espace Libre". J'ai aimé ça. Le moment le plus important pour moi c'est quand le paquet de steak haché fait sa quatrième entrée sur scène. Je l'observe; je veux voir, vérifier...Décidément, je n'y comprends rien; on va, une fois de plus, répéter la même scène? Je tends l'oreille, je scrute nerveusement, cherchant le détail oublié. Non, tout y est; ni la musique ni l'éclairage n'ont changé. Le paquet de steak haché suit le même parcours en poussant le même panier qui contient le même poulet qui pousse les mêmes "cot-cot". Déconcertant, stupide, dégradant?...j'hésite. L'emprise est telle que même le public ne change plus: tout le monde a le même regard fixe, presque incrédule, le même sourire poli. Je ne sais plus que penser. Pendant que le steak haché amorce son dernier tour, je tente une fois de plus d'analyser; quel est donc le message derrière tout ça, à quoi veut-on arriver?...

Tout à coup, j'ai _la_ Grande Révélation. Pendant tout ce temps, j'ai refusé de reconnaître l'évidence: tout ici n'est que ridicule. Cette scène du paquet de steak haché géant promenant un poulet géant aussi, toutes les scènes qui ont précédé, de la femme nue au gorille artiste, l'idée de présenter les scènes plusieurs fois, tout ça est ridicule. Je le suis aussi, moi qui, en bonne "jeune étudiante intellectuelle", tente d'analyser un symbolisme brillant par son absence. Ridicule encore, moi et tous les autres qui restons assis depuis bientôt deux heures, sans bouger, bien élevés (figés?) à attendre et espérer qu'une histoire se forge, que cette pièce se transforme en "vrai" théâtre; on nous a habitués aux explications inutiles, on attend qu'on nous crie l'évidence. Depuis le début, je me plains; la pièce a été bizarre, assomante, frustrante. J'ai tant menacé de partir et autant de fois je suis restée. Maintenant, je le réalise: j'aime ça!

Enfin, le steak haché s'arrête; le poulet paie, les lumières s'éteignent. Dans le silence, un seul intrus: mon rire, franc, heureux, soulagé, qui a tout compris et qui ne peut qu'en rire.

excellent!

Maud rit de bon coeur au grand plaisir de Lucie qui est un peu timide. Quand elle est partie, Maud, les yeux brillants, dit que c'est le fun des fois l'enseignement. Je lui demande si ça lui arrive aussi, à elle, de se faire dire: "Vous étiez pas là." Elle rit. Elle dit que oui, tout le temps. Qu'ils sont comme ça. Qu'ils ont terriblement besoin d'attention et que c'est la seule façon qu'ils trouvent d'attirer l'attention. Et elle ajoute: "Mais ceci dit, ils me font profondément chier moi aussi, bien sûr."

Elle sourit de toutes ses belles dents blanches. Elle m'amuse Maud, ça commence à ne me faire presque plus rien d'avoir été relocalisée dans le fin fond de Lachine. Disons que je m'adapte. La première semaine, j'avais l'impression que le cégep était un gros bateau à la dérive dans lequel se croisaient des déportés du cégep de Joliette, de Sherbrooke ou de Rouyn. J'ai ben freaké la fois où j'ai découvert que l'accès aux balcons était interdit sous prétexte que les étudiant(e)s en profiteraient pour se suicider! Mais là, je me dis que grâce à Maud et à Leila, c'est devenu plus respirable dans le bunker.

Maud dit:"Tiens, ça me fait penser... J'ai rencontré André Côté, à la coop tantôt..." Je dis: "André Côté, André Côté?" Maud dit que ben oui, André Côté, là, la crête noir jais, le coat en cuir rouge... Je dis: "Ah! oui, lui." Elle poursuit: "Tu lui as dit que tu étais en Australie?"

Je dis oui. Que j'ai répondu ça pour le niaiser, que j'ai ben le droit de les niaiser si je veux, que chus tannée de me faire dire: "Vous étiez pas là" au point que je ne réponds plus de mes gestes, pis qu'à part ça, j'ai déjà vécu en Australie dans une vie antérieure pis que ma petite amie Dana Kahn qui est en visite chez nous dit que c'est là qu'il y a le plus de sciento-logues et qu'elle rêve d'y aller, qu'elle parle tout le temps de l'Australie, que c'est pour ça que j'ai dit que j'étais en Australie.

"Pompe-toi pas. Je disais ça de même. Je me demandais juste pourquoi t'avais dit ça." Maud dit qu'elle retourne en classe pour la deuxième période. Je dis que bon, je continue mon texte pour *La Nouvelle Barre du Jour*.

On marche sur Saint-Laurent Dana et moi. Il fait très froid. C'est la pleine lune. Elle brille, haute, dans le ciel d'hiver très noir. Dana dit qu'elle n'a pas fini d'expliquer le 666. Elle dit que 666 ça donne d'abord 18, mais qu'ensuite ça donne 9. Je dis: "Oui, l'ermite dans le Tarot." Elle dit que oui, que 9 ça veut dire *penser par soi-même*. Que c'est ce qu'il y a de plus difficile, *penser par soi-même*.
En passant devant chez Schwartz, j'ai une envie folle de manger un smoked meat. Je demande à Dana si ça lui tente. Elle dit: "Si tu veux." Je dis que c'est complètement stupide, que j'ai soupé, que je ne devrais pas avoir faim, que je n'ai pas faim d'ailleurs mais que j'ai une envie folle de manger un smoked meat. "Toi qui ne manges pas de viande, c'est bizarre" dit Dana. On s'installe à une table. Je commande un smoked meat viande maigre avec beaucoup de moutarde, une patate, un coke. Dana prend un coke. Elle me demande si elle m'a parlé de son projet de film qui s'intitule *To Eat*. Je dis: "Non, pas celui-là. Tu m'as parlé de *Tokyo Rose* et de *Ça devient clair en 1984* mais pas de celui-là. Je pense pas." Elle dit que c'est un film sur la faim dans le monde, sur la sous-alimentation et la suralimentation. Elle dit que l'un de ses thétans programmeurs — une impératrice vers 50 000 avant Jésus-Christ en Atlantide — l'a programmée, elle, Dana Khan pour réaliser ce film-là. Elle dit que c'est comme E.T., mais à l'envers. Je dis: "Comment ça, "Comme E.T. mais à l'envers?" en mordant à belles dents dans mon smoked meat.
Elle dit: "Regarde. Si tu prends les lettres initiales de *To Eat*, ça fait T.E., c'est E.T. à l'envers. Terrestrial extra au lieu d'extra terrestrial..." Je m'étrangle de

211

rire. Ce n'est pas parce que je ris que c'est drôle. Ce n'est pas parce que c'est drôle que je ris. "Terrestrial extra" ça me fait penser au Earth Coincidence Control Office dont parle Vava quand elle veut dire le Cosmic Coincidence Control Center de John Lilly et ça me bouleverse chaque fois que j'entends ces mots-là: Earth Coincidence Control Office même si je vois bien qu'il y a une faute dedans et que ça devrait au moins être Earthly Coincidence Control Office.

Mais Dana Khan poursuit son analyse: "En plus, si tu décodes le titre, ça donne *A is an extra-terrestrial operating thetan*. Je dis: "Hein?" Elle s'y attendait parce qu'elle enchaîne tout de suite: "T.O.E.A.T.: il s'agit de décoder lettre par lettre. O.T., c'est les initiales qu'on utilise en scientologie pour désigner un *operating thetan*, c'est-à-dire ce qu'on appelle un clair qui maîtrise le MEST — l'univers physique — et qui n'est plus dans son corps."

Je dis: "Ah, c'est ça John Travolta, tu disais que c'est un O.T. quelque chose?" Elle dit que oui, que John Travolta est un thétan opérationnel de niveau 5. Je dis qu'il a l'air d'être pas mal dans son corps dans *Staying alive* le beau John Travolta. Et qu'il est peut-être O.T. 5 mais qu'il est pas mal cheap. Dana dit que c'est moi qui est conne. Je dis que, franchement, elle pourrait être plus polie. On rit. Mais je n'en suis pas moins secrètement insultée.

Dana continue à déblatérer sur le titre de son ostie de film en disant que A désigne bien sûr la bebitte style E.T. qui est un de ses thétans programmeurs. Je dis: "T'en as combien donc, 1300?" Elle dit: "Non, huit." Je continue à être secrètement insultée, secrètement insultée, secrètement insultée, de moins en moins secrètement insultée. Je dis: "Tu me tombes sur les nerfs des fois Dana."

Elle répond qu'elle sait. Qu'elle a volontairement restimulé un de mes engrammes. Je demande si on peut

savoir lequel. Elle dit: "Oui. La souffrance de ne pas comprendre. Dans une de tes incarnations, tu étais un simple d'esprit qui s'appelait Gontran et tu es vraiment susceptible depuis sur le chapitre de l'intelligence."
J'ai une patate gluante de ketchup dans la main droite. J'allais la porter à ma bouche mais j'interromps le geste. Je me demande si mon rapport névrotique à la nourriture ne pourrait pas s'expliquer de la même manière. Dana me regarde avec un grand smile. Je dois avoir l'air plutôt éberluée avec ma patate suspendue entre mes doigts, la bouche prête à l'engloutir. J'ai atrocement mal au bras droit tout à coup. Ça fait comme une décharge électrique: on dirait qu'un poison violent circule dans les veines de mon biceps. Dana me demande ce qu'il y a.
Je ferme les yeux. Je ne sais pas. J'ai seulement atrocement mal au bras droit. J'ai souvent très mal au bras droit, au poignet, au biceps, au triceps. J'ai le bras en feu, c'est atroce. Dana dit qu'elle voit des images. Elle parle doucement tandis que je garde les yeux fermés, le bras suspendu au-dessus de la table, une patate frite dégoulinant de ketchup entre le majeur et le pouce de la main droite. Dana Khan parle. Je l'écoute.
"C'est dans ta vie d'Yvelle Swannson. Autour de 30 000 avant Jésus Christ, à l'époque où Atlantis est encore submergée à la suite de la première destruction. Tu es océanologue. Tu fais de l'espionnage pour les Enfants de la Loi d'Unité qui commencent à avoir du pouvoir. C'est comme ça que tu te retrouves dans le laboratoire d'un physicien. Ben, ça alors! C'est mon père! Il s'appelle David Khan dans ce temps-là aussi on dirait. C'est drôle qu'il porte le même nom. Ou peut-être juste "Khan", je ne sais plus. Tu te dépêches parce que tu n'as que dix minutes pour holographier les plans du nouveau sous-marin océanographique. Tout à coup, tu aperçois une pastille rouge

sur le mur. Automatiquement, tu fais le lien avec l'insigne rouge. Tu as été Changeur(e) de Signe(s) finalement. C'est drôle, j'aurais pas cru... En tout cas. T'es programmée pour toucher à la pastille rouge depuis déjà des milliers de vies. Tu poses la paume de la main directement sur le cercle rouge et c'est là que tu reçois une décharge formidable qui te conduit tout droit à la salle de réanimation. Le médecin qui te soigne est ton père dans cette vie: il t'injecte un sérum turquoise qui régénère tous les tissus endommagés. C'est lui qui a inventé ce sérum, c'est un des plus grands savants d'Atlantis. Il s'appelle Balan. C'est un archonte.

Quelques années plus tard, tu es en mission dans la mer Rouge avec Foch, ton collaborateur. Vous faites une recherche top-secret sur le corail noir. Vous portez des scaphandres verts. Il y a des bancs de poissons bleus. Je vois en couleurs, comme tu vois. Vous venez de prélever des spécimens dans le mur de corail. Les yeux très bleus de Foch te fixent derrière la vitre du casque de plongée. Il a des yeux extraordinaires. Ils te rappellent étrangement quelque chose. Tu ne sais pas exactement quoi. Peut-être vous êtes-vous connus dans l'ancienne Atlantide. Tu ne sais pas. Il te précède dans le sas du sous-marin laboratoire. Tu pénètres à ton tour dans le sas, tu es en train de refermer le hublot. Quelque chose retient ton gant scaphandre. Tu tournes la tête. Tu aperçois le requin, C'est un très gros requin blanc. Il avance la gueule, engouffre ton bras.

Alain Champagne dit: "Moé, je comprends pas ce qu'y faut faire pour le compte rendu d'une pièce de théâtre." Je lève la tête de mon texte, je quitte Yvelle Swannson, le requin blanc, Dana Khan et compagnie pour me retrouver au cégep Marie-de-l'Incarnation campus de Lachine un vendredi après-midi du mois d'avril. Alain Champagne est un étudiant de mon groupe du jeudi après-midi. Il chiale systématiquement tout le temps. Il est en informatique, évidemment. Le théâtre, ça sert à rien dans la vie: Grotowski et le Living Theatre peuvent aller se rhabiller, Mère Courage est une guenillouse et Michel Tremblay sait même pas écrire en bon français. Mais, Alain Champagne, c'est Alain Champagne. Il a de beaux yeux de diamant noir et il respire la passion de vivre, la révolte et l'amour. Ça fait pardonner bien des choses. J'entreprends patiemment de lui réexpliquer comment faire le compte rendu d'un spectacle. Il dit que ç'a pas de bon sens de raconter rien qu'une minute du spectacle. Et en une page en plus! Là, je me fâche. Je lui dis que ç'a peut-être pas de bon sens mais que c'est ça que je veux qu'ils fassent, un point c'est tout. Il dit: "Relaxe ton corps!"

Là, c'est trop! Franchement! Même Alain Champagne a pas le droit d'être effronté de même! "Relaxe ton corps!", franchement! Je brandis le doigt comme une arme, je lui dis: "Toi, mon ostie, tu vas sortir d'ici tu-suite! Achale-moi pu, compris?" Il sort.

Leila a assisté à la scène. Elle reste là, sidérée, dans le cadre de porte. Elle dit: "Mon doux, qu'est-ce qui se passe?" Je dis que ça c'est fort, que je vas finir par émigrer en Australie certain, ne serait-ce que pour "relaxer mon corps". "Relaxer mon corps", l'ostie! Je raconte à Leila mon altercation avec Alain Champagne. Elle dit que c'est bien évident qu'il y a du feu entre nous deux. Elle dit: "Attention ma belle! ça va peut-être finir à coups de poignard!" je dis que ça arriverait pas aussi si on avait des rayons lasers pour les tétanoser ben raide comme dans *Opération-Mystère* quand ils exagèrent. "Vous étiez pas là, vous étiez pas là." Ben là ma chère, chus là, je t'en passe un papier! Aie!: "Relaxe ton corps", y est pas gêné le petit christ!

Leila trouve ça hilarant quand je monte sur mes grands chevaux. Elle dit que c'est drôle, que j'étais impavide avant. Je réponds que j'étais peut-être impassible mais certainement pas impavide. Qu'ils me faisaient tout aussi peur avec leurs grosses bottes militaires mentales mais que j'engloutissais l'angoisse avec les clubs sandwichs et les patates sauce de la cafétéria. Je lui fais remarquer que c'est depuis que je suis au Herbal Life que je sors de mes gonds. Elle dit: "Ben oui, c'est quoi donc au juste, cette poudre-là que tu prends avec ton lait?" Je dis que c'est un plan alimentaire avec vitamines et protéines naturelles, que c'est californien et que mon amie Dana Khan dit que ça vient directement d'Atlantide. Que ça éveille les mémoires atlantes parce qu'il y a une substance dans la poudre que nous absorbions en grande quantité à l'époque d'Atlantis et qui catalyse notre mémoire.

Leila dit qu'elle a l'air pas mal flyée mon amie Dana. J'explique que Dana n'a que treize ans, que c'est la fille de mon ami David Khan et que c'est rendu que je m'entends mieux avec elle qu'avec lui depuis qu'il refuse de lui parler parce qu'elle l'accuse de l'avoir torturée dans une vie antérieure chinoise ce qu'il s'obstine à ne pas vouloir reconnaître. Leila éclate de rire, dit qu'elle aimerait bien la rencontrer avant qu'elle ne retourne à San Francisco, ce phénomène.

Ça me rappelle qu'il faut que j'avertisse Dana de ne pas m'attendre pour souper. Je l'appelle. Elle me demande où en est le texte pour *La Nouvelle Barre du Jour*. Je dis que ça s'en vient, que j'en suis à raconter l'épisode du requin. Elle dit: "Tu trouves ça comique l'épisode du requin?" Là, je me dis: "Maudit c'est vrai. C'est supposé être drôle..."

Il tire sur ton bras, le sectionne, t'arrache l'épaule. Foch te tire par le bras gauche pour que le requin ne t'avale pas tout entière. Sa gueule est heureusement trop grande pour qu'il puisse la passer par l'ouverture du sas. Foch pleure derrière son casque de scaphandre. Claude Gagnon vient à votre secours, s'accroche lui aussi à ton bras gauche. La douleur te fait hurler. Finalement, les Silver People — qui sont les Ambulanciers Saint-Jean de l'époque — arrivent à la rescousse. Ils te transportent dans le sous-marin puis dans leur navette spatiale submersible.

C'est une sorte de soucoupe volante argent très ronde. L'appareil remonte prestement à la surface, s'envole au-dessus de la mer Rouge, perce le mur du son et se propulse dans l'hyper-espace. C'est là que les Silver People t'opèrent. C'est une opération extrêmement délicate parce que tu es au bout de ton sang. Tu sens ton bras, là-bas, au fond de la mer Rouge dans la gueule d'un requin vorace. Tu sens ses dents en train de déchiqueter ta chair. Tu te répètes: "Quelle horreur, quelle horreur!"
Les Silver People te greffent un bras bionique hautement perfectionné. Il est parfaitement articulé. Mais c'est douloureux. Tu n'aimes pas tellement la peau synthétique qu'ils ont greffé à ton torse. Ce n'est pas très ressemblant: c'est trop rose et puis ça fait un peu caoutchouté.
Les Silver People te ramènent sur terre mais pas à Atlantis car tu es trop fragile. Tu passes ta convalescence en surface, à Swn dans l'île de Khé. Tu es assise sur ton lit dans une grande chambre pleine de soleil et tu dessines, tu dessines, tu n'en finis plus de dessiner. Tu dessines des visages surtout, des centaines et des centaines de visages. Tu dessines prodigieusement bien avec ton nouveau bras bionique. Mais les Silver People ont mis un implant de douleur dans ton bras droit, tu ne sais pourquoi. Ton bras est très douloureux encore des mois après l'opération. Tu travailles à rééduquer tes mouvements avec un physiothérapeute nommé Auti qui t'interdit de dessiner, croyant que c'est là la cause de tes douleurs. Il n'en est rien mais tu lui obéis. Tu tombes en amour avec lui et avec le temps, tu oublies."
Dana s'est tue. J'ouvre les yeux. Je dis: "Quelle imagination tu as Dana!" Elle répond que ça n'a rien à voir avec l'imagination. Je dis que j'ai encore terriblement mal au bras. Elle dit que c'est peut-être la crampe de l'écrivain.

Maud a fini son cours. J'ai mal au bras à force d'écrire. C'est peut-être la crampe de l'écrivain après tout comme dit Dana. Maud me demande où en est: *Comment j'ai arrêté de manger comme cochonne...* Je dis que je vas toute lui conter la fin mais que là j'ai trop faim, qu'on devrait prendre un taxi jusqu'au métro.

On prend un taxi jusqu'au métro. Tandis qu'on attend notre rame, Maud me demande: "Pis comment ça finit toujours ben?" Je dis qu'on découvre que la narratrice a été une grosse cabaretière de trois cent cinquante livres au dix-huitième siècle. Qu'elle s'appelait Rose-Mélanie Boulanger et qu'elle tenait l'auberge du Chien d'Or à Québec. Qu'elle avait eu un enfant hors mariage qui était la réincarnation du physiothérapeute atlante, qu'elle était très heureuse de porter cet enfant mais que son père qui est sa soeur dans cette vie lui a arraché le bébé à sa naissance. Là, elle mange deux fois plus parce qu'elle mangeait déjà beaucoup parce que son père qui est sa soeur dans cette vie disait tout le temps qu'elle était grosse. Elle se met à manger, manger, manger comme pour combler le vide laissé par l'enfant qui lui a été arraché. Comme autrefois son bras. Elle mange comme pour recréer le foetus dans son ventre. Elle a un amant, un soldat d'infanterie qui est souvent de passage à Québec. Mais, malgré tous ses efforts, elle ne tombe plus jamais enceinte. Elle finit par devenir folle. On l'enferme. Elle meurt dans la camisole de force. Mais, juste avant de mourir, elle se rappelle Yvelle Swannson. Et elle meurt de rire en comprenant qu'elle vit dans le désespoir le plus total depuis trente ans simplement parce qu'elle a perdu un bras dans la mer Rouge 31 700 ans plus tôt!

Maud fait une grimace. Elle dit: "Ça finit comme ça?" je dis non, non, regarde, on n'est rien qu'à Angrignon, je vais te lire ma dernière page au brouillon O.K.?

Dana a l'air furieuse. Elle n'a pas l'air d'apprécier mon scepticisme... J'essaie de faire diversion: "Pourquoi ça s'appelle *Ça devient clair en 1984* le moyen métrage

218

que tu veux tourner en 1986? Elle mord tout de suite à l'hameçon. "Hein je te l'ai pas conté?" Bien sûr que tu me l'as conté charmante idiote, mais tu aimes tellement ça le répéter...

"Ça vient d'un problème de mathématiques que je traîne depuis 35 000 ans à peu près. C'était ma première incarnation terrestre. J'étais un petit garçon de dix ans ben laitte, noiraud, chétif, haineux. J'haïssais ma mère pour tuer. C'était une vieille toute ridée qui forniquait avec ses fils et qui enfantait encore à soixante-dix ans. Mais en tout cas, c'est pas important ça. Ce qui est important c'est mon problème de mathématiques.

On est en 33 084 avant Jésus-Christ. Je m'en rappelle parce que c'est ça que le professeur me donne comme premier nombre: 33 084. En dessous, il fait le signe *moins* que je n'ai encore jamais vu et il écrit: 3 500. En excellent Changeure de Signe(s) que je suis, j'assimile 3 et 3 et 0 et 8 et 4 et 3 et 5 et 0 et 0. Ça me donne 8, ce qui est évidemment la bonne réponse. Le professeur me frappe les doigts et le bras droit avec son bâton. Il me donne: 28 084 comme réponse. Je ne comprends pas. Ça donne 22. Et ça donne 4. Pourquoi est-ce qu'il obtient 4 et moi j'obtiens 8? Comment ça se fait que c'est un 8 que j'ai dans ma main gauche et un 4 que j'ai dans ma main droite? Ou bien sur terre, il leur manque quatre chiffres ou bien moi j'en ai quatre de trop. Il y a un quatre en trop ou en moins. Je ne sais pas quoi décider. Le 4 est beaucoup plus lourd dans ma main droite. C'est lui qui sait comment ça marche sur cette planète. Mais je *sais* que la réponse est 8. Pourquoi est-ce qu'il obtient 4, comment est-ce qu'il obtient 4? Comment est-ce que je vais pouvoir survivre sur cette planète?

Je suis dans un état de désarroi total. Ma mère m'attrape alors par les oreilles et elle me traîne dans le sable. Elle veut que j'aille chercher de l'eau avec elle.

Je balance les deux seaux vides sur mes épaules en me demandant si j'enlève 2 à ma réponse et que j'ajoute 2 à celle du prof... Ça donnerait 6 pour moi et 6 pour le professeur. Je viens de comprendre le principe de la soustraction.

Ma mère me pince le biceps pour me faire marcher plus vite. Je la déteste, je la déteste de tout mon coeur. Elle tâte le gras de mon bras pour mieux palper ma chair et deviner dans combien de temps je serai mûr pour forniquer avec elle et lui faire d'autres fils. Car ses filles elle les étrangle à la naissance. La seule qui lui ait échappé c'est Sabada Dabasa de trois ans mon aînée. On ne sait pas pourquoi. La vie est un tel mystère.

Je voudrais tellement qu'elle meure. Je voudrais tellement qu'elle meure. Mais elle est grande et je suis petit. J'ai peu de chances de la vaincre. On avance dans le désert et ma haine grandit. Finalement, je me décide: je prends le bâton qui relie les seaux entre mes deux mains et je lui en assène un bon coup dans l'estomac. Elle se retourne aussitôt et me renverse d'un coup de savate. Je m'effondre par terre. Je sens un souffle chaud dans mon cou. Je me retourne. Ma mère est en train de s'enfuir, dévorée par les flammes. Elle vocifère: "Selamavalasa, Selamavalasa!"

Des gens fuient de toutes parts, les vêtements embrasés. Je réussis enfin à tourner la tête vers la source de tout ce chahut. Un immense lion de feu assis dans le sable à une centaine de pieds rugit et ouvre grand la gueule.''

Maud a un point d'interrogation dans le regard. Je dis: "Ben, ce qui devient clair c'est qu'est-ce que c'est le cinéma. T'as pas reconnu le lion de la Metro Goldwyn-Mayer?"

Table des matières

Lithographié au Canada
sur les presses de
Métropole Litho Inc.